# Y Trydydd Posibilrwydd

## Mari Williams

*Argraffiad Cyntaf—1991*

ⓗ Mari Williams

ISBN 0 86383 857 X

Dymuna'r cyhoeddwyr gydnabod cymorth a chyfarwyddyd Adrannau'r Cyngor Llyfrau Cymraeg a noddir gan Gyngor Celfyddydau Cymru.

Dymuna'r awdur gydnabod yn ddiolchgar gefnogaeth a chymorth parod y Cyngor Llyfrau Cymraeg i sicrhau cyhoeddi'r nofel hon, a pharodrwydd Gwasg Gomer i ymgymryd â'i chyhoeddi.

Argraffwyd gan
J.D. Lewis a'i Feibion Cyf., Gwasg Gomer, Llandysul, Dyfed, Cymru.

Cyflwynedig
i
Ysgol Gyfun Cwm Rhymni ar achlysur
dathlu ei dengmlwyddiant

# PENNOD 1

'Gadewch inni edrych ar ffeiliau'r tri Phryd-
einiwr eto, lefftenant.' Roedd acen Taleithiau
De'r Unol Daleithiau ar Saesneg y cyrnol.
Byseddai ochrau ei fwstas trwchus du yn feddyl-
gar. Pylai blinder ei lygaid oherwydd bu'n
pendroni dros ffeiliau amrywiol drwy'r nos.

'Y tri sy'n dod o'r un ardal, syr?'

'Gwlad, lefftenant, gwlad. Fydden nhw
ddim yn hoffi clywed y gair ''ardal''. Cofiwch
eu bod yn siarad eu hiaith eu hunain, hefyd. Mae
hi wedi cael tipyn o adfywiad ers dechrau'r
ganrif.'

'Syr,' meddai'r lefftenant yn frysiog i
ddangos ei ufudd-dod. Atseiniai ei esgidiau du
sgleiniog ar draws llawr marmor y siambr fawr
wrth iddo fynd i ymofyn y ffeiliau. Roedd yr
adeilad yn un helaeth, uchel, golau a fflach o liw
yn deillio o faner y sêr a'r streipiau a addurnai'r
pared y tu ôl i ddesg y cyrnol.

'Dyma nhw, syr,' meddai'r lefftenant, gan
roi'r ffeiliau ar ei ddesg.

7

'Mathew Price, pump ar hugain oed, mathemategwr penigamp, seryddwr rhan-amser. Wedi darganfod tonnau pelydr-X sy'n dod o gyfeiriad *Proxima Centauri*. Yn byw i'w waith. Rhieni wedi marw. Dim cysylltiadau teuluol agos, ar wahân i un chwaer briod. Cymeriad mewnblyg.'

'Ychydig yn rhy fewnblyg hwyrach, syr?'

'Dwy ddim yn meddwl. Fe all fod yn fantais ar daith fel hon. Rhifau yw'r peth sy'n mynd â'i fryd.'

Bu saib cyn iddo droi at y ffeil nesaf.

'Dafydd Harris. Chwech ar hugain oed. Ffisegwr sy wedi bod yn gweithio ar y project "Ramjet". Doethuriaeth am ei ran yn yr arbrofion i ynysu electronau o atomau hydrogen. Awgrym y bydd yn ennill Gwobr Nobel cyn cyrraedd ei ddeg ar hugain. Gŵr priod. Cymeriad dwys.'

'Mae'r ffaith ei fod yn briod yn ei erbyn, syr.'

'Dim o angenrheidrwydd. Mae'n dibynnu pa mor agos yw'r berthynas,' meddai'r cyrnol yn oeraidd.

Agorodd y ffeil olaf a gadael i'r dalennau

8

lithro drwy ei fysedd yn betrusgar cyn darllen y testun:

'Non Evans, hefyd yn chwech ar hugain. Meddyg. Wedi graddio yn uchaf yn ei blwyddyn drwy Brydain Fawr. Uchelgeisiol iawn. Ar hyn o bryd wrthi'n gwneud ymchwil i effeithiau byw yn y gofod am dymor hir. Yn ddibriod. Wedi colli ei rhieni mewn damwain awyren . . . Ydych chi'n cofio'r achos enwog yna pan fu terfysgwyr yn dinistrio awyren ar fin glanio yn Athen?'

Ni chofiai'r lefftenant.

'P'run bynnag,' parhaodd y cyrnol, 'mae ei hamgylchiadau yn golygu nad oes ganddi ddim byd i'w golli.'

'Ar wahân i'w hieuenctid. Mae hynny'n bwysig i ferch. Pan ddaw hi'n ôl fydd hi ddim gwerth edrych arni.'

'I'r gwrthwyneb, lefftenant. Po fwyaf eu cyflymder, mwyaf oll y bydd amser yn arafu.'

'Ond fe fyddan nhw wedi trafaelio am flyn-yddoedd cyn cyrraedd y fath gyflymder.' Roedd y lefftenant yn awyddus i'w gyfiawnhau ei hun.

9

'Rwy'n synnu atoch chi,' meddai'r cyrnol yn gellweirus. Edrychodd i fyny. 'Ro'n i'n meddwl bod rhagfarn fel 'na tuag at ferched wedi darfod gyda'r ugeinfed ganrif.' Caeodd y ffeil â chlep. Roedd wedi penderfynu ar y cynrychiolwyr o Brydain.

'Anfonwch y tri am y profion seicolegol arferol. Mi wyddoch y drefn.'

\*　　　　\*　　　　\*

'Symuda'r ceir bach yna, Jonathan, imi gael eistedd ar y soffa,' meddai chwaer Mathew wrth ei mab. Pwysodd fotwm ar flwch bach du ac agorodd llenni i ddatgelu set deledu a lenwai'r pared gyferbyn. Penliniai Jonathan uwch y draffordd llawn ceir bach amryliw a wnaethai dros glustogau'r soffa.

'Ydy hi'n amser gweld Ewyrth Mathew ar y teledu?' gofynnodd, a'i lygaid mawr brown yn gloywi.

'Wel ydy, siŵr iawn,' meddai ei fam. Roedd ei ben yn edrych fel petai'n pwyso gormod i'w wddf bach eiddil ei gynnal wrth iddo blygu dros ei deganau, meddyliodd. 'Mae'r rhaglen ar fin dechrau.'

10

Aeth cryndod drwyddi wrth iddi feddwl am yr hyn a wynebai ei brawd. Anfarwoldeb, yn ôl rhai, os oedd anfarwoldeb yn golygu lle mewn hanes. Digon iddi hi oedd byw yn y bwthyn hwn ar lannau gorllewinol Cymru. Diolch byth fod llecyn fel hyn ar gael o hyd. Doedd neb wedi cynllunio marina na mwynderau ffasiynol eraill yma. Cedwid pobl draw gan fod gwastraff niwclear wedi'i gladdu nid nepell oddi yma. Doedd hynny ddim yn ei phoeni. Roedd ei gŵr yn gweithio yn y diwydiant niwclear a chredai ef nad oedd hyn yn fwy o berygl na mil o bethau eraill yr oeddynt yn dod ar eu traws yn eu bywyd bob dydd. Roedd y pentref lle safai'r bwthyn fel hafan wedi'i neilltuo oddi wrth derfysg a bud-reddi cynyddol y byd y tu allan.

Roeddynt wedi gwneud y bwthyn yn foethus iawn. Gorweddai carped trwchus ar y llawr carreg hyd at y grisiau derw yng nghornel yr ystafell. Roedd y rhain yn dynodi oed y lle. Yn ogystal â'r gwres canolog roedd fflamau ffug tân nwy yn goleuo'r ystafell a'i gwneud yn gyffor-ddus. Roedd y gegin yr un mor braf, wedi'i dodrefnu â chypyrddau o binwydd hardd, golau

11

a phob teclyn i hwyluso'r gwaith. Wrth edrych drwy ffenestr eang y parlwr yn awr gwelai chwaer Mathew arwyddion yr hydref yn ymdaenu dros y lawnt yng ngwawl hwyr y prynhawn ac fe'i llanwyd â theimladau trist. Sawl gwaith y byddai'r flwyddyn yn troi'n hydref cyn iddi weld ei brawd drachefn, os o gwbl? Cofiodd y tro diwethaf iddo ymweld â hi ac fe aeth eu sgwrs drwy ei meddwl unwaith eto. . .

''Drycha ar gyflwr dy siwmper,' dywedodd hi wrtho. 'Mae'n dyllau i gyd.'

Edrychodd Mathew'n syn ar y siwmper fel petai'n gweld y tyllau am y tro cyntaf.

'I ble'r aeth y gwlân tybed, Jonathan?' gofynnodd i'r bychan. 'Welais i mo'no'n mynd!'

Chwarddodd Jonathan am ben jôc ei hoff ewythr.

'Gad imi drwsio'r gwaethaf cyn iti fynd yn ôl i'r stafell ddigysur 'na sy gen ti yn y Coleg,' awgrymodd hi.

Cymerai dynion ifainc, fel arfer, fwy o ddidd-ordeb yn eu hymddangosiad nag a wnâi ef, ac

12

oherwydd hyn, roedd Mathew'n edrych yn hŷn na'i bum mlynedd ar hugain. Roedd ei lygaid mawr glas diniwed a'i wallt golau afreolus yn rhoi golwg ysgolhaig egsentrig iddo. Yn ôl yn ei ystafell, ni sylwai ar ei moelni na'i hoerni ychwaith ond iddo gael digon o broblemau mathemategol pryfoclyd i lenwi ei feddwl.

'Sôn am y Coleg, Siân,' meddai Mathew yn araf, 'fydda i ddim yno'n hir eto.'

'O, pam?'

'Mae'r amser wedi dod, Siân. Waeth imi ddweud wrthyt ti ar ei ben. Rwy'n ffarwelio â'r blaned hon am sbel.'

Wrth gwrs, roedd ef wedi trafod y posibilrwydd er pan oedd yn ei arddegau, cyn i'w rieni farw, hyd yn oed. A synhwyrasai hi fod rhywbeth ar droed pan aeth ar y wibdaith ddiwethaf i'r Unol Daleithiau. Ond yn awr, wrth iddo roi'r peth mewn geiriau bu bron iddi lewygu. Rhuthrodd y gwaed o'i hwyneb a theimlai ei bod hi'n arnofio am ennyd. Yna daeth balchder a hiraeth â dagrau i'w llygaid.

'Llongyfarchiadau, Mathew,' meddai, mor galonogol ag y gallai. 'Mi wyddwn ar hyd yr

13

amser y byddai'n bechod trio dy ddal di'n ôl, petaet ti'n cael y cyfle.'

Aeth cysgod o boen dros wyneb Mathew.

'Siân . . .' dechreuodd.

'Does dim rhaid iti esbonio,' atebodd hi'n dyner. 'Rwy'n dy 'nabod di'n rhy dda, cofia. Cest dy eni'n unswydd i hyn.'

'Ydy Ewyrth Mathew yn mynd mewn llong ofod?' gofynnodd Jonathan heb droi i'w hwynebu o'r lle'r oedd yn chwarae â'i deganau ar y carped.

Ni wyddai'r ddau arall ei fod wedi bod yn gwrando ar eu sgwrs. Diolch byth, meddyliodd Siân, iddo dderbyn y newydd mor ddidaro.

'Ydy,' atebodd hi. 'On'd yw e'n lwcus?'

'Pryd bydd e'n dod yn ôl?' oedd cwestiwn nesaf Jonathan. Ond troi'r stori a wnaeth y ddau.

'Bydda i ar y teledu yr wythnos nesaf, Jonathan,' meddai Mathew. 'Cei di wybod popeth am y daith yr amser hynny.'

'Bydd hynny'n ddifyr, oni fydd?' meddai Siân. 'Gweld d'ewyrth Mathew ar y teledu?'

Ac yn awr roedd 'wythnos nesaf' wedi

cyrraedd, a'r amser oedd yn weddill yn dod i ben yn hynod o sydyn.

*     *     *

'A sut ydych chi'n teimlo wrth adael perthnasau a ffrindiau ar ôl?'

Clywai Non lais yr holwr fel petai'n dod o bell. Yr oedd yr annisgwyl wedi digwydd: roedd hi wedi cael ei dewis i fynd ar daith i'r gofod! Ac fel petai drwy hud, dyna lle'r oedd hi'n ateb cwestiynau ar raglen deledu gyda dau arall. Dau ddieithryn hyd yn hyn. Serch hynny, byddent yn sicr o gyd-daro'n dda. Byddai'n rhaid iddynt! Ac wedi'r cwbl dyna ran o'r rheswm pam y dewiswyd hwy—y ffaith eu bod yn ddigon aeddfed i wneud yn iawn gyda phobl eraill beth bynnag oedd y sefyllfa.

Roedd goleuadau'r stiwdio'n ei dallu. Adlewyrchent yn llygaid rhes flaen y gynulleidfa a edrychai'n eiddgar ac yn edmygus arnynt eu tri. Yn sydyn sylweddolodd Non taw ati hi yr oedd yr holwr wedi anelu ei gwestiwn.

'Rwy'n credu ein bod ni'n teimlo'n debyg iawn i'r teithwyr a aeth i Batagonia, hynny yw, i'r Wladfa, tua dau gant o flynyddoedd yn ôl,'

15

atebodd hithau'n frysiog. 'Roedden nhw'n gwybod eu bod yn canu'n iach i bawb a phopeth am byth, hwyrach.' Gostyngodd ei llais ar y tri gair olaf.

'Ond fyddwn ni ddim yn unig, mwy na hwythau,' torrodd Mathew i mewn. 'Rydyn ni hefyd am fod yn rhan o gymuned newydd.' Gwenodd ar Non.

Croesawai hi'r dôn gadarnhaol yn ei lais. Synnai hefyd wrth ganfod ei fod mor ymarferol ei agwedd. Edrychai fel ysgolhaig a'i ben yn y cymylau.

'Fydd ffrindiau newydd byth yn cymryd lle'r hen rai, wrth reswm,' meddai Dafydd yn syth. 'Fyddwn ni ddim yn anghofio amdanyn nhw. Byddant yn fyw iawn yn ein cof, ond bydd yr hiraeth yn colli ei fin gan fod amser a synnwyr o amser yn hollol wahanol yn y gofod.'

Credai Non ei bod hi'n clywed arlliw o dristwch yn ei lais. Y tu ôl i'w wyneb prydweddol roedd anian drist, meddyliodd.

'Fedrwch chi esbonio hynny?' gofynnodd yr holwr.

'Fel y byddwn yn nesáu at y targed, byddwn

16

yn trafaelio'n agos i gyflymder goleuni. Ar y cyflymder yna, fyddwn ni ddim yn sylwi ar rediad amser.'

Amneidiodd yr holwr. 'Wrth gwrs,' meddai, 'ry'n ni i gyd wedi dysgu syniadau fel hyn yn ein gwersi gwyddoniaeth. Mater arall yw eu deall, yntê? Ond, Dafydd,' parhaodd, 'ar ran yr holl leygwyr sydd yma ac yn ein gwylio gartre'—canolbwyntiodd y camera ar ei wyneb wrth iddo droi i annerch y gwylwyr gartref—'a wnewch chi esbonio inni unwaith eto rywbeth am dechnoleg y llongau gofod hyn? Beth, er enghraifft, yw egwyddor y "ramjet"?'

'Mewn termau syml, mae'n ddyfais i gasglu cyflenwad o danwydd ar ôl inni adael system yr haul,' meddai Dafydd.

'Atomau hydrogen fydd y tanwydd, rwy'n deall.'

'Ie, a chan eu bod yn brin iawn yn y gofod, mae eisiau arwyneb anferth i'w casglu.'

'A dyma lun yn ymddangos ar y sgrin nawr o'r llong ofod a mur o fetel yn tyfu allan ohoni ar y ddwy ochr,' torrodd yr holwr ar ei draws. 'Model o'r un iawn sy'n cael ei hadeiladu yn yr

17

orsaf ofod sy'n cylchu'r ddaear ar hyn o bryd. Y muriau hyn sy'n casglu'r atomau?'

'Ie. Yn y lle cyntaf bydd pelydr laser yn gyrru trydan drwy'r atomau hyn a'u denu'n syth i'r muriau. Yna, pan fydd yr atomau'n gollwng egni yn y peiriant ymdoddiad oddi mewn, bydd yr adwaith yn hyrddio'r llong ymlaen ar gyflymder anhygoel.' Siaradai'n gynhyrfus.

'A beth am y pelydr ffoton? Rwy'n deall bod gobaith gwneud defnydd o hynny fel cam olaf ac uchafbwynt i'r daith.'

'Rwy'n gweld eich bod chi wedi gwneud eich gwaith cartre,' atebodd Dafydd yn gellweirus. 'Ond rwy'n siŵr y bydd Mathew yn gallu dweud mwy am hynny na fi.'

'Ry'n ni'n gobeithio y bydd rhai ohonom yn cael ein cludo ar ddim llai na phelydr o oleuni i fynd i ymyl y cytser sydd yn nod a phen y daith,' meddai Mathew yn ddramatig.

'A *Centaurus* yw'r cytser, wrth gwrs,' meddai'r holwr. 'A wnewch chi'n hatgoffa ni pam rydych chi'r gwyddonwyr wedi bod yn ymddiddori cymaint yn y sêr arbennig hyn yn ystod y blynyddoedd diwetha?'

18

'Ry'n ni wedi darganfod tonnau newydd yn dod o'r cyfeiriad hwn,' meddai Mathew. 'Tonnau radio a phelydrau-X. Un esboniad yw bod un o'r sêr wedi mynd yn boethach nes ffrwydro'i sylwedd allan i'r gofod.'

'A dyna beth mae'r seryddwyr yn ei alw'n *supernova*?'

'Yn union. Ac efallai nad oes dim ar ôl o'r seren yn awr ond twll du i ddangos lle bu. Gan taw *Alpha Centauri*, ar ymylon y cytser, yw'r seren agosaf atom yn y nen, mae'n bosib mynd i archwilio ac efallai wneud defnydd o'r dis-gyrchiant anferthol sydd yno a chreu math o dyrbein i ddod ag ynni i'r ddaear.'

'A beth os cewch eich sugno i'r seren ddu gan rym disgyrchiant?'

'Mae tri phosibilrwydd,' meddai Mathew yn siriol. 'Naill ai byddwn yn disgyn i'r pwynt yng nghanol y trobwll lle mae deddfau ffiseg yn torri i lawr ...'

Aeth si drwy'r gynulleidfa, gan beri iddo ychwanegu:

'Wrth gwrs, fyddwn ni ddim yn gwybod

dim oll amdano, gan y byddwn ni wedi cael ein chwilfriwio'n dipiau!'

'Popeth yn iawn, felly!' meddai'r holwr ac fe chwarddodd pawb.

'Neu,' parhaodd Mathew, 'byddwn yn chwyrlïo o gwmpas ymyl y seren ddu am byth, gan fethu codi digon o gyflymder i ddianc o'i hawyrgylch.'

'Am byth?' ailadroddodd yr holwr ag arswyd yn ei lais.

'Fyddwn ni ddim yn gwybod dim byd am hynny, chwaith,' meddai Mathew. 'Ar y cyflymder yna, fe fydd amser yn colli ei ystyr yn llwyr.'

'Beth yw'r trydydd posibilrwydd?' gofynnodd yr holwr.

'Y byddwn yn llithro trwy dwnnel i'r bydysawd eto. A dyn a ŵyr ble cawn ni ein hunain wedyn, nac ym mha gyflwr!'

'Mae'n dda gen i taw chi sy'n mynd, nid fi,' oedd ateb ysgafn yr holwr. 'Gadewch imi droi at Non unwaith eto. Non, os na fydd y daith yn parhau am byth, fe fydd yn parhau am rai blynyddoedd, a dweud y lleiaf. Sut mae cynnal bywyd dan amodau fel hyn?'

'Wel a sôn am fwyd yn gyntaf, mae gerddi mewnol, mewn system o dai gwydr, os mynnwch, ar fwrdd y llong. Ac rydyn ni'n disgwyl cnydau da iawn, yn enwedig drwy'r technegau newydd o ymbelydru. Byddwn yn cadw fferm bysgod a dofednod hefyd. Cofiwch fod y llong fel dinas fach,' ychwanegodd, wrth weld y syndod ar wyneb yr holwr.

'Ydych chi'n siŵr y bydd gennych chi ddigon at eich angen?'

'Mae ystadegwyr wedi gwneud eu symiau'n ofalus iawn,' meddai Non gyda gwên. 'Mae pob cenhedlaeth yn wrtaith i'r nesaf. Mewn natur does dim gwastraff. Dim ond ailgylchu. Rhyw-beth ry'n ni wedi'i ddiystyru ar y ddaear. Ond i fyny yn y gofod bydd ein cymuned a'r adnoddau mewn cydbwysedd.'

'Ac fe fydd yr ocsigen yn cael ei ailgylchu hefyd?'

'Bydd. Dylwn ychwanegu hefyd ein bod ni'n barod i drefnu cyfnod o aeafgwsg i bawb yn ei dro.'

21

'Fel y wiwer a'r pathew?' Swniai'r holwr yn anghrediniol.

'Ie,' meddai Non, dan chwerthin. 'Bydd hynny'n lleihau'r gofyn am fwyd ac yn datrys problemau undonedd ac ati.'

'A sut byddwch chi'n gwneud hyn?'

Edrychodd Mathew a Dafydd ar ei gilydd. Roedd yr un peth yn mynd trwy feddwl y naill a'r llall; roedd hi'n ddeniadol. Pan wenai, ac fe wenai'n aml, roedd gwreichion o bleser yn ei llygaid tywyll ac ymddangosai pannwl bach ym mhob boch. Cyrliai ei gwallt du, cwta o gwmpas ei chernlun pigfain fel ei bod yn debyg i bicsi. Ond yn ogystal â bod yn bert, roedd hi'n meddu ar sgiliau a gwybodaeth a fyddai'n amhrisiadwy iddynt ar y fenter hon.

'Rydyn ni wedi ynysu rhai cemegau yn yr ymennydd,' meddai Non, 'sydd yn gyfrifol am aeafgwsg.'

Roedd yr holwr yn dechrau anesmwytho.

'Rwy'n gweld,' meddai, cyn gynted ag y gorffennodd Non ei brawddeg, 'bod ein hamser wedi dod i ben yn anffodus. Diolch yn fawr i'r tri ohonoch am ddod, a phob hwyl ichi ar y daith fwyaf cynhyrfus erioed.'

Roedd cymeradwyaeth y gynulleidfa yn frwd dros ben.

*    *    *

Roedd hi'n hwyr pan gyrhaeddodd Non adref. Talodd i yrrwr y tacsi a safodd am ennyd i'w wylio'n dychwelyd ar hyd y ffordd droellog rhwng y mynyddoedd. Roedd wedi sôn llawer am ei deulu ar y daith o orsaf y rheilffordd. Dywedodd ryw wirebau am fagu plant a gofalu eu bod yn llwyddo yn y byd, os oedd hi'n cofio'n iawn. Ac yn awr, roedd ar ei ffordd yn ôl i'w aelwyd glyd ei hun. Roedd ei haelwyd hithau'n glyd hefyd. Roedd hi wedi etifeddu'r tŷ mawr hwn a safai mewn llecyn hardd, tawel yn y Canolbarth. Ond doedd ganddi neb i'w chroesawu'n ôl a'i llongyfarch ar ei pherfform-iad ar y rhaglen deledu, dim oddi ar i Rob ymadael. Erbyn hyn doedd hi ddim yn cyfri'r wythnosau ers iddo fynd, ond teimlai'r briw o hyd.

Wedi iddi ddatgloi'r drws, pwysodd y swits oedd yn cynnau'r holl oleuadau ar y llawr.

23

Llanwodd awyrgylch o wynder mwyn bob man ar unwaith. Roedd carped tew o liw gwlân naturiol yn gorchuddio'r llawr i gyd. Ystafell eang oedd hi, wedi'i ffurfio drwy uno'r cyntedd a'r ddwy ystafell a arweiniai at lefel uwch. Yma, ar lwyfan, fel petai, roedd bwrdd a chadeiriau o wydr a metel. Safai lamp ar stondin tseina gwyn, plaen a chwaethus. Tywynnai'r goleuni drwy gysgodydd sidan, fel trwy niwl.

Suddodd wrth eistedd ar lwth o'r un lliw â'r carped a throi swits ymlaen. Ar unwaith daeth llun anferth o'r rhaglen deledu ar y pared gyferbyn â hi. Ar ôl ymddangos ar y sgrin fel hyn a chyhoeddi ei rhan yn y daith wrth y byd a'r betws, doedd dim troi'n ôl, meddyliodd. Canodd y teleffon. Rob oedd yno. Roedd ei chalon yn dal i neidio wrth glywed ei lais.

'Llongyfarchiadau ar y rhaglen deledu!'

Atebodd hi ddim yn syth. Doedd hi ddim yn sicr o'i resymau dros ffonio fel hyn. Oedd e'n trio'i gyfiawnhau ei hun â'r geiriau syml hyn oherwydd iddo'i gadael hi am rywun arall? Fel petai'n dweud: 'Roedd dy galon dithau yn rhywle arall hefyd ar hyd yr amser, yn rhywle

24

pell iawn'. O leiaf roedd e'n meddwl amdani o hyd . . .

'O ddifri,' parhaodd ef, gan synhwyro'i bod hi'n amau ei fwriad, 'rwy'n edmygu dy ddewr-der.'

'Diolch,' meddai hi'n sych braidd. Efallai ei fod yn ei hedmygu, ond roedd yn genfigennus hefyd. Cenfigennus o'r ffaith ei bod hi wedi cyrraedd y brig yn ei gwaith.

Ni fedrai ddygymod â hynny a dyna oedd wedi gwenwyno eu perthynas mewn gwirion-edd. Petai ef ond wedi sylweddoli y buasai hi'n barod i roi'r gorau i bopeth er mwyn ei gadw! Roedd hi wedi bod yn rhy falch i ddweud hynny, ond fe ddylai ef fod wedi sylweddoli.

'Mae'n ddrwg gen i am . . .' petrusodd ef.

'Wnawn ni ddim mynd ar ôl hynny nawr, Rob,' meddai. Swniai'n flinedig a digalon. A theimlai'n flin â hi ei hun am hyn. Pam roedd rhaid i Rob gael yr effaith hon arni, a hithau ar drothwy bywyd newydd a chyffrous?

'Rwy'n dymuno'n dda iti, Non,' meddai Rob. 'Fe fydda i'n meddwl amdanat ar hyd yr amser.'

'Hwyl fawr, Rob.' Rhoddodd y teleffon yn ôl. Noson clwydo'n gynnar amdani. Roedd pobl ddieithr yn mynd i alw yn y bore ynglŷn â busnes y tŷ. Roeddynt wedi cytuno i gymryd prydles arno, am amser amhenodol.

*     *     *

Nid oedd Dafydd wedi bod adref ers tri mis, bron. Roedd cynifer o gynadleddau gwyddonol i'w mynychu ar y cyfandir ac yna, galwyd ef i'r Unol Daleithiau i dderbyn y profion seicolegol ar gyfer y daith i'r gofod. Ar ôl hedfan yn ôl, oedodd yn Llundain am rai dyddiau cyn dychwelyd i Gymru i gymryd rhan yn y rhaglen deledu. Roedd wedi bod yn ŵr esgeulus, gwyddai hynny. Dyna pam yr aethai ef a Lisa i'w ffyrdd eu hunain. Dechreuodd y rhwyg yn syth ar ôl y briodas, gwaetha'r modd. Lwcus bod Lisa mewn swydd dda i fynd â'i bryd, neu fe fyddai'r sefyllfa wedi bod yn fwy creulon. Roedd hyn yn lleddfu tipyn ar ei gydwybod. Serch hynny, roedd arno ofn mynd adref i dorri'r garw heno. Roedd popeth wedi digwydd mor sydyn, rywsut, ac ni chawsai amser i drafod y daith yn iawn gyda hi.

Teimlai ei galon yn curo'n gyflymach wrth iddo nesáu yn ei gar at yr hen dŷ ffferm a oedd wedi bod yn gartref i genedlaethau o'i deulu, er nad oedd neb yn ffermio yno bellach. Roedd y siwrnai o'r stiwdio wedi bod yn flinedig iawn er iddo deithio i fyny ar y draffordd newydd rhwng y De a'r Gogledd.

Roedd Lisa ar y ffôn pan ddaeth i'r tŷ. Edrychodd o gwmpas y parlwr tra disgwyliai iddi orffen siarad. Roedd pob man yn dangos gwychder henffasiwn—trawstiau o bren du ar draws y nenfwd, llenni melfed a charped pat-rymog o'r India.

'Mae o newydd gerdded i mewn . . . Bydd yn siŵr o'ch ffonio yn nes ymlaen,' meddai. Rhoddodd y teleffon i lawr yn araf ac edrych ar Dafydd gyda rhyw edrychiad cofiadwy. Roedd ei hwyneb yn dynn gan hiraeth am orffennol na ddeuai byth yn ôl. Roedd ennyd o chwithdod rhyngddynt.

'Dy fam oedd ar y ffôn!'

'Ble mae hi?'

'Mae hi a dy dad wedi mynd i aros dros nos gyda dy fodryb. Mae hi'n wael eto. Wyddet ti

27

ddim, wrth gwrs. Does dim posib dweud popeth mewn sgwrs ar y ffôn i America.'

'Mae'n ddrwg gen i,' meddai Dafydd. 'Sut maen nhw wedi derbyn y newydd amdana i? Mae'n anodd barnu ymateb ar y ffôn.' Nid oedd Dafydd erioed wedi bod yn agos at ei rieni a dim ond yn awr, y foment hon, y sylweddolodd lawn ystyr ei daith arfaethedig o'u safbwynt nhw.

'Dy'n nhw ddim yn neidio mewn llawenydd.'

'A beth amdanat ti?'

Cymerodd anadl ddofn. 'Dafydd,' meddai, 'roedd priodi'n gamgymeriad. Rwy'n gweld hynny'n awr. Duw a ŵyr 'mod i'n dy garu ar y pryd. Ond byth ers hynny rwyt ti wedi ymddwyn fel pe na bai'r briodas erioed wedi digwydd. Beth oedd y pwynt?'

'Tria ddeall, Lisa. Mae 'ngwaith . . .'

'Rwy'n deall yn iawn,' torrodd ar ei draws, ond yn gymodol. 'Waeth inni wynebu ffeith-iau, ddim. Fedri di ddim plygu i ofynion bywyd teuluol. Mynach wyt ti o ran natur. Mae'n rhaid i ti ddilyn dy natur, a dy nod.'

'Dwyt ti ddim yn chwerw?'

28

'Roeddwn i'n chwerw ar y dechrau, rhaid cyfadde. Ond rywsut neu'i gilydd, rwy wedi dod i ddibynnu llai arnat ti. Wedi dysgu byw hebot ti, mae'n debyg, a dwy ddim yn teimlo'r un angen i droi atat.'

Roedd hi'n agos at ddagrau er gwaethaf ei geiriau.

Roedd yn gas gan Dafydd funudau fel hyn. Ni wyddai beth i'w ddweud na'i wneud.

'Mae'r dyddiad wedi'i bennu,' meddai, o'r diwedd. 'Rydan ni'n mynd ymhen tri mis. Arhosa i ddim ond i ffarwelio â Mam a Nhad. Byddai aros mwy yn annheg arnat ti. Ond heno, dim ond heno, fedri di droi'r cloc yn ôl, i'r amser pan oeddan ni dros ein pennau a'n clustiau mewn cariad?'

Roedd apêl daer yn ei lygaid tywyll, clir. Gwyddai Lisa y dylai hi wrthod, neu fe fyddai'r hen deimladau'n dychwelyd ac yn ei drysu hi eto. Yn wir teimlai'n ddig tuag ato. Eto i gyd, dyheai am redeg ato, gwthio'i bysedd drwy ei wallt du ac ymguddio yng nghlydwch ei gorff cydnerth. Dringasant y grisiau eang i'r llofft a'u breichiau o amgylch ei gilydd.

# PENNOD II

'Croeso i holl bobl Cymru sydd newydd ymuno â ni ar y maes lansio yma yn Cape Canaveral yn Florida. Rwy'n siŵr fod pob un ohonoch chi draw yng Nghymru'n gwylio'r foment hanesyddol hon,' meddai'r sylwebydd teledu. 'Fe gofiwch fod tri o'r tîm mawr rhyngwladol sydd wedi cael eu dewis i fynd ar y daith arbennig hon yn Gymry. Yn sicr, mae Cymru wedi cynhyrchu pencampwyr o bob math ers iddi ennill ei hannibyniaeth yn ôl ar ddechrau'r ganrif. Ac yn awr, mae'r diwrnod mawr wedi gwawrio o'r diwedd, dros hanner canrif ar ôl y daith gyntaf i'r lleuad gan Neil Armstrong yn ôl ym mil naw chwe deg naw. Mae'r daith fawr i'r sêr ar fin dechrau. Mae problemau dybryd ar y ddaear, problemau llygredd ac ynni yn bennaf oll fel y gwyddoch, ond mae gobaith yn y sêr.'

Bwriodd y sylwebydd olwg ar yr holl ddarlledwyr a ddaethai i'r fan o bob cwr o'r byd a theimlai'n falch ei fod yn Gymro.

'Mae'n fore perffaith ar gyfer y fath fenter.

30

Mae'r awyr yn glir a'r gwynt wedi gostegu,' parhaodd. 'Mae'r haul yn hofran mewn niwl uwchben y gwastatir llychlyd yma, gwastatir sydd yn llwyfan i'r roced anferth sy'n cario'r wennol at yr orsaf fry yn y gofod. Fel anifail yn cario'i gyw ar ei gorff ei hun . . .'

Bu saib ar ôl ei ymdrech i fod yn farddonol ac yna ceisiodd y sylwebydd greu darlun o'r hyn a dybiai oedd yn digwydd yn y tŵr gwydr y tu ôl iddo.

'Gellwch ddychmygu'r berw sydd yn bod ar hyn o bryd y tu mewn i'r tŵr llachar yma. Mae'r gwyddonwyr yn mynd yn ôl a blaen ar eu hynt ac mae'r criw yn y gwaelod yn disgwyl am yr arwydd i ddod allan. Hir yw pob ymaros, ond unrhyw eiliad yn awr . . .'

Wrth iddo yngan y geiriau daeth y gofodwyr i'r golwg a chododd bonllefau o'r rhengoedd oedd yn disgwyl i'w gweld.

'A dyma nhw o'r diwedd!' meddai'r sylwebydd, a chywair ei lais yn uwch: 'Mae gwledydd Ewrop ac America ac Asia yn cael eu cynrychioli yma, a'r sêr yw eu nod y tro hwn yn bell, bell allan ar y Llwybr Llaethog. Fel y gwyddoch, mae'r dechnoleg newydd, wyrthiol yn galluogi llongau gofod i deithio bron mor gyflym â goleuni.'

*      *      *

Teimlai Non yn ymwybodol iawn o lygaid y byd arni hi a'i chyfeillion wrth iddynt groesi'r canllath o dir at y roced. A serch yr holl dyrfa ar bob ochr, ymddangosai'r canllath olaf yn hir ac yn unig. Cerddodd ias drwy ei chorff. Gwyddai na fuasai hi erioed wedi maddau iddi ei hun pe gwrthodasai'r cyfle hwn, ac eto petai Rob wedi aros . . . Ef oedd yn llenwi ei meddwl nawr, er bod ei golygon ar y sêr.

*      *      *

'P'run yw Ewyrth Mathew?' meddai llais bach yn y dyrfa. 'Maen nhw mor debyg i'w gilydd â robots.'

Trodd pawb o'i gwmpas i wenu ar y plentyn bach a eisteddai ar ysgwyddau ei dad.

'Dacw fe'n cario baner y Ddraig Goch!' atebodd ei dad.

Ar yr un pryd, sylwodd Mathew arno'n chwifio'i ddwylo bach uwchben pawb, ac wrth iddo fynd heibio, trodd i wenu ar ei nai bach am y tro olaf. Argraffwyd wyneb y bychan yn ddwfn iawn ar ei feddwl y foment honno. Rhaid i'r darlun barhau am amser hir iawn. Pan ddychwelai, o bosibl y byddai'r bachgen wedi tyfu cymaint fel na fyddai'n bosibl ei 'nabod. Teimlodd bwl sydyn o hiraeth.

*     *     *

Teimlai Dafydd fwy o amheuon fyth wrth ymadael na'r ddau arall. Buasai'n gamgymeriad mynd adref i ddweud ffarwél. Roedd Lisa wedi hedfan i'r Unol Daleithiau i fod yn bresennol heddiw gyda'r teuluoedd eraill. Buasai'n well i'r ddau ohonynt pe na baent wedi gweld ei gilydd yn eu cartref yn gyntaf. Yn awr, roedd atgofion rhy felys ganddo o'i noson olaf gyda Lisa.

*     *     *

Sugnwyd y teithwyr i mewn i'r wennol. Roedd peiriant y roced yn dirgrynu a rhuo fel bwystfil yn cael ei ffrwyno'n ôl tan y cyfri o ddeg i un. Cymerodd pawb ei safle o flaen y cyfrifiaduron a'u paratoi eu hunain am y grym disgyrchiant a gynyddai'n enbyd ar ôl iddynt godi i'r awyr. Byddai'r grym hwn yn hyrddio'u cyrff yn ôl yn eu seddau, yn gwasgu eu hysgyfaint a pheri i'w calonnau bwyo'n ffyrnig yn yr ymdrech i bwmpio'r gwaed i'w pennau. Cychwyn oedd rhan fwyaf peryglus ac anghysurus y math yma o daith. Yna, tua dau gan cilometr uwchben y ddaear caent y profiad rhyfedd o fod heb bwysau o gwbl, nes ymuno â'r orsaf ofod lle crëwyd disgyrchiant artiffisial gan rym allgyrchol. Yn y fan hon disgwyliai tîm o wyddonwyr amdanynt gyda'u campwaith gorffenedig, sef y Ramjet. Safai hwn yn awr mewn cell yn yr orsaf a'i waliau anferth o fetel amheuthun wedi'u plygu wrth ei ochrau. Ymestynnent fel adenydd eryr unwaith y câi ei ollwng i ddyfnderoedd y gofod. Ac yn ei dro, fel un mewn cyfres o ddoliau a phob un yn cynnwys un lai, byddai'r Ramjet yn gollwng llestr bach pan ddeuai'r amser. Ond roedd hyn oll yn mynd i ddigwydd rywbryd yn y dyfodol …

Edrychodd y teuluoedd ar y roced yn ffrwydro ac yna yn ymdoddi i'r awyr cyn diflannu yn raddol, raddol, fel marworyn. Roedd y cyffro drosodd.

'Cofiwch alw pan fyddwch chi yn y
34

cyffiniau,' oedd gwahoddiad Siân, chwaer Mathew i'r Cymry eraill, wrth ymadael. Roedd y teuluoedd wedi rhannu pryd o fwyd ym mwyty'r maes awyr. Roedd Siân a'i gŵr a Jonathan eu bachgen bach yn mynd adref ar yr awyren nesaf.

'Byddwn yn siŵr o wneud,' oedd y corws o atebion. 'A chithau hefyd.'

Ond gwyddai pawb eu bod yn mynd yn ôl i'w byd eu hunain i dreulio'u bywydau orau y gallent, yn annibynnol ar ei gilydd a heb gwmni rhai o'u hanwyliaid.

*    *    *

Cafodd criw y wennol groeso di-ail gan y tîm rhyngwladol o wyddonwyr a thechnegwyr a ddisgwyliai amdanynt yn yr orsaf ofod. Roedd bywyd wedi hen sefydlu ar y lloeren hon ac roedd ymweliad teuluoedd neu gyd-weithwyr yn destun dathlu bob amser. Y tro hwn roedd y newydd-ddyfodiaid yn mynd ymlaen i bellafion y bydysawd yn lle mynd yn ôl i'r ddaear ac felly roedd y cyffro arferol yn gymysg â phryder am y dyfodol. Roedd y gwyddonwyr yn archwilio eu creadigaeth, sef y Ramjet, am y tro olaf pan laniodd y wennol.

Ar ôl arhosiad byr i'r gofodwyr ymgynefino â'r Ramjet ac ymarfer yr hyn a ddysgasent yn y rhaglen simwleiddio, daeth yn amser iddynt fyrddio'r llong ofod ryfeddol hon. Esgorodd yr orsaf arni'n ddidrafferth. Hyrddiwyd hi gyda rhu i ehangder y nefoedd. Roedd yr arloeswyr ar eu pennau'u hunain yn awr, yn llithro'n rhydd drwy'r gofod. Atseiniai dymuniadau da gwyddonwyr yr orsaf yn eu clustiau am amser maith i ddod, a chofient weld eu delwau ar sgrin y Ramjet, yn dawnsio mewn gorfoledd ac yn chwerthin gyda'i gilydd yn y munudau cyntaf, cyn i'r llun ballu gyda'r cyflymder cynyddol.

Ymysg y gweithgareddau hamdden di-ri a gynlluniwyd i ddifyrru'r amser ar y Ramjet roedd dosbarthiadau 'nos' i ddysgu ieithoedd ei gilydd. A byddent yn dathlu pob achlysur arbennig yn hanes unigolion a'u gwledydd gyda hwyl. Trwy wneud hyn a ffugio bywyd bob dydd ceisient anghofio eu caethiwed. Roedd byw ar y llong fel byw mewn dinas fach dan do, ond dyheai rhai am dynnu'r to weithiau a chrwydro'n rhydd. Hiraethai Non yn enwedig am y rhyddid i ddringo'r mynyddoedd a cherdded yn y wlad ger ei chartref. Gwir fod mannau ar y llong lle gallai rhywun ei ddychmygu ei hun yn yr awyr agored ac mewn amodau normal, ond doedd dim byd yn ddigon i gynnal y rhith yn hir iawn.

Y gwaith oedd achubiaeth pawb. Dyna a roddodd bwrpas ac ystyr i'w bywydau yn ystod y blynyddoedd a dreuliwyd yn y gofod. Roedd y criw rhyngwladol wedi treulio rhan helaeth o'u hamser yn perffeithio llestr arbennig ym mol llong y Ramjet ar gyfer uchafbwynt y daith. Mesur yr atynfa ddisgyrchiannol a grymoedd eraill yng nghyffiniau'r seren ddu oedd y bwriad. Taith i'r tywyllwch a'r anhysbys! Roedd angen nerfau o ddur ar y sawl a âi yn y llestr. Un cam gwag ac fe gaent eu chwalu i ebargofiant neu eu hyrddio mewn cylch o gwmpas y seren ddu am dragwyddoldeb: methent â chasglu digon o nerth i ddianc byth o'i chrafangau. Wrth gwrs, ni sylweddolent eu bod yn treulio tragwyddoldeb fel hyn—byddai amser wedi sefyll yn stond. Roedd hyn yn

37

bosibilrwydd llawer mwy echrydus na'r un cyntaf, hyd yn oed. A beth petai'r llestr yn chwyrlïo ar gyrion y seren ddu hyd nes cael ei sugno trwy dwll yng ngwead y cread i ran arall ohono? Efallai y byddai hyn fel pyrth uffern yn agor iddynt. Serch hynny, roedd cynrychiolwyr pob gwlad wedi bod yn ddigon dewr ac awyddus i wirfoddoli. O'r diwedd, penderfynwyd derbyn dewis y cyfrifiadur. Galwyd pawb ynghyd i'r neuadd fawr amlbwrpas a leolwyd y tu hwnt i'r cabanau cysgu. Nid oedd cyfarfod mor dyngedfennol â hyn wedi'i gynnal yno erioed. Byddai pobl yn ymgynnull yno i gyfrannu mewn cyngerdd neu ddrama neu fabolgampau gan amlaf. Yng nghefn y neuadd roedd llyfrgell lle cedwid llyfrau ar feicroffilm. Man cyfarfod a chymdeithasu oedd y neuadd fel arfer. Ond cofiodd Non hefyd, tra oedd hi'n sefyll yn y distawrwydd llethol, am yr achlysur pryd y daethai pawb ynghyd i glywed ymddiheuriad gan Amercanwyr a chynrychiolydd o Ewrop a fu bron ag ymladd yn gyhoeddus. Dyna'r unig dro i bethau fynd yn boeth rhwng y cenhedloedd gwahanol ac roedd

38

bron yn anfaddeuol. Ceisiodd Non amcangyfrif faint o flynyddoedd yn ôl yr oedd hyn wedi digwydd ond roedd yn amhosibl iddi o fewn termau amser ar y ddaear: ni theimlai bwysau amser o gwbl. Roedd pawb yn edrych yn llawn mor ddifrifol y tro hwn ond am resymau gwahanol. Torrodd llais y capten ar draws ei synfyfyrdod.

'Un peth a benderfynwyd yn barod, a hynny yw y bydd tîm o gyfeillion agos yn mynd ar y fenter hon i goroni'r daith. Ac mae hyn yn golygu cyd-wladwyr gan mwyaf. Mae'r wybodaeth am bob grŵp wedi cael ei bwydo i'r cyfrifiadur ac yng ngŵydd pawb rwyf am ddangos y canlyniadau.'

Pwysodd fotwm a goleuodd sgrin y cyfrifiadur y tu ôl iddo. Fflachiodd enwau'r Cymry ar draws y sgrin. Ymateb cyntaf Non oedd bwrw trem ar ei chymdeithion. Sythodd Dafydd a thynnu anadl ddofn trwy'i ffroenau. Symudodd gewyn yng ngên Mathew. Roedd ei gernlun yn dynn iawn. Dafydd, yr un mwyaf gochelgar yn eu plith, Mathew, yr un teimladwy a hithau. Sut byddai hi'n ei disgrifio ei hun? Yn llawn ofn ar y foment honno, ond fyddai hi byth yn cyfaddef 'chwaith. Troesant i wynebu ei gilydd a'u llygaid yn grwn mewn syndod a balchder. Roedd ffawd wedi gwenu arnynt ac wedi sicrhau y byddai sôn am Gymru ledled y byd o hyn allan.

Yn brydlon yn ôl yr amserlen, gollyngwyd y llestr bach, neu ferch-long, chwedl y criw, ar dangiad i'r brif-long fel fflach o oleuni disglair i gyfeiriad y seren ddu. Roedd si lleisiau cynhyrfus yn yr ystafell reoli wrth i'r cam cyntaf gael ei gyflawni'n llwyddiannus. Roedd y llestr wedi gadael y llong yn ddidrafferth. Gwyliai'r cymdeithion o'r Unol Daleithiau, Awstralia, Ewrop, yr Undeb Sofietaidd Newydd a Siapan hynt y tri Chymro ar sgrin cyfrifiadur yng nghlydwch cymharol y llong fawr oedd wedi bod yn ddinas iddynt oll cyhyd. Roedd tîm o arbenigwyr o wahanol wledydd yn paratoi at y cyfarfod a drefnwyd rhwng y llestr bach a'r famlong yn nes ymlaen. Siaradent am y rhwydwaith o symudiadau yr eid drwyddynt er mwyn adennill y llestr yn ôl i'r llong fawr. Erbyn hynny dylai'r Cymry fod wedi casglu gwybodaeth werthfawr i'w dadansoddi ar y daith hir yn ôl i'r ddaear.

Un o'r Siapaneaid oedd y cyntaf i lewygu yn y gwres. Dechreuodd y larwm sgrechian drwy'r llong a rhedodd aelodau'r criw yn ôl a blaen gan geisio canfod y broblem. Gloywai darlleniad arswydus ar ffenestri bach y cyfrifiaduron a churai ei neges goch yn gyson.

'Mae diffyg mawr wedi datblygu ym muriau'r Ramjet!' gwaeddodd un o'r Americanwyr yn groch. 'Dyw hi ddim yn amsugno'r atomau hydrogen i gyd. Maen nhw'n treiddio'r system. O Dduw mawr . . .'

Ni chafodd amser i ddweud rhagor. Bu tanchwa anferthol. Fflachiodd gwreichion y llong am ennyd ac yna diffodd cyn mynd ar ddisberod drwy'r bydysawd.

*       *       *

Ar fwrdd y llestr bach roedd yr olygfa ar y sgrin yn syfrdanol: myrdd o sêr o liwiau'r enfys yn rhuthro tuag atynt ac yn disgyn fel cawod i bob cornel o'r sgrin. A thrwy gydol yr amser curai'r cyfrifiadur y tu mewn i'r panel fel calon.

Rhyfeddai Non, Mathew a Dafydd at y pryd-ferthwch o'u cwmpas.

Yn sydyn, crychodd Dafydd ei dalcen a daeth chwa o bryder oer drosto. Plygodd ymlaen yn ei sedd. Roedd ei holl gorff yn dynn.

''Dach chi'n synhwyro rhywbeth od?' gofynnodd yn sydyn. Bu saib.

'Dwy ddim yn gweld y pelydr o'r fam-long, y Ramjet,' meddai Mathew.

'Yn union. Rydan ni wedi colli cyswllt.'

'Amhosib! Mae'r system yn hollol ddi-ffael,' meddai Non, ond roedd tinc ofnus yn ei llais.

Dechreuodd Dafydd bwyso sawl botwm a symud sawl trosol ar frys gwyllt. Gwran-dawai'n astud am y sŵn arbennig, ond yn ofer. Ni allai godi'r sŵn eto. Safai'r ddau arall y tu ôl iddo fel dwy ddelw.

'Mae'r lein yn farw,' meddai Dafydd. Roedd ei wddf yn sych. 'Rwy'n methu dallt y peth. Be sy wedi mynd o'i le?'

Ni allai'r naill na'r llall awgrymu ateb i'w gwestiwn. Ond gwyddent eu bod wedi'u hynysu'n gyfan gwbl.

'Dal i drio. Dyna'r cwbl allwn ni ei wneud,' meddai Dafydd, gan ysgwyd ei ben.

*    *    *

'Dim arwydd o gwbl!' ebychodd yr hen gadfridog. Chwaraeai ei fysedd yn ffwndrus dros allweddell y cyfrifiadur yn yr orsaf reoli yn Florida. Roedd yr adeilad yn dechrau dadfeilio ond daliai i ddod bob dydd, fel heddiw, i astudio rhes o rifau cyfnewidiol am sbel a syllu arnynt drwy lygaid dilewyrch, diddeall. Plyciodd yn ei fwstas gwyn mewn ystum o anobaith. Yna, trodd a mynd at y drws.

'Lefftenant!' galwodd mewn llais main.

Ymddangosodd y lefftenant a'i gwarchodai o fewn eiliadau ac estynnodd ei law i helpu'r hen ŵr ar y ffordd yn ôl i'w gar. Edrychodd y cadfridog yn daer i wyneb y dyn ifanc mewn ffurfwisg. Roedd hwn yn ei atgoffa o lefftenant a arferai weithio iddo flynyddoedd maith yn ôl. A daeth brithgof o'r lefftenant hwnnw'n sefyll o'i flaen ac yn dal ffeiliau'r gofodwyr y diwrnod hwnnw pan ddewiswyd hwy i fynd ar fenter ryfedd y *Centaurus*.

'Does dim ateb, dim ateb byth,' ailadroddodd ef yn awr, yn gythryblus. 'Rwy'n methu deall y peth.'

Petrusodd y lefftenant am ennyd. A oedd yn werth ceisio ei ddarbwyllo unwaith eto? Byddai'r ffeithiau'n peri cryn emosiwn a chynnwrf i'r hen ŵr i ddechrau, fel petai'n eu clywed am y tro cyntaf oll. Wedyn, ar ôl pum munud, byddent wedi mynd dros gof. Pender-fynodd esbonio'n amyneddgar unwaith eto, gan ddangos graff a thraul blynyddoedd arno.

'Dyma'r pwyntiau sy'n dynodi'r negeseuon o'r gofod, syr. Fe welwch eu bod nhw'n drwchus ac yn agos at ei gilydd ar y dechrau. A dyma nhw'n mynd yn brinnach ac yn brinnach nes pallu'n gyfan gwbl. Mae hyn yn golygu un peth, ac un peth yn unig. Mae'r Ramjet wedi mynd ar goll. Ddaw hi byth yn ôl.' Edrychodd ar y cadfridog yn dosturiol. Doedd wiw iddo ddweud wrtho'n fwy plaen fod y llong wedi ffrwydro'n ulw.

'Taw â dẇeud!' meddai'r hen ŵr mewn braw ac yna, wedi ymadfer, 'Ond rhaid dal ati, dal i chwilio, dal i gredu.'

44

'Does dim gobaith, wir, syr. Mae'r orsaf ofod wedi'i datgymalu ers degau o flynyddoedd, ac mae'r ymchwil wedi darfod.'

'Ond pam?'

'Mae'r byd wedi newid, syr. Does gan neb ddiddordeb yn y sêr mwyach. Mae technoleg ar drai ym mhob man oherwydd newyn a llifogydd a diboblogi.'

'Ond mae'r orsaf hon yn dal i weithio,' meddai'r cadfridog yn ystyfnig. 'Er na wela i fawr o bobl o gwmpas y lle y dyddiau 'ma.' Cymylodd ei wyneb mewn penbleth.

Doedd gan y lefftenant ddim calon i ddweud wrtho fod y peiriannau dymchwel adeiladau wedi cadw draw tan hynny o barch ato ef yn unig.

\*       \*       \*

Ceisiodd Dafydd gysylltu â'r fam-long am y canfed tro. Ni allai'r un ohonynt ddweud faint o amser a aethai heibio. Ymddangosai fel dyddiau, ond gallai fod yn flynyddoedd. Roedd amser wedi colli ei ystyr yn y fath le. Roeddynt yng nghanol gwacter undonog diddiwedd. Yr oedd popeth yn dywyll.

'Mae arna i ofn,' meddai Non, 'ein bod ni'n troi o gwmpas ymyl seren ddu droellog, fel pêl mewn gêm o *roulette*.'

'Ond fydd y bêl ddim yn stopio yn y gêm hon,' meddai Mathew yn dawel. 'Fe allwn ni fynd mewn cylchoedd hyd dragwyddoldeb, heb heneiddio, heb newid, heb sylwi ar amser yn pasio.'

'Byddai hynny'n annioddefol!' ebychodd Dafydd.

'Ond dwyt ti'm yn cofio?' meddai Mathew. 'Fyddwn ni ddim yn sylweddoli'r peth, hyd yn oed.'

'Mae'n syniad brawychus, 'run fath,' meddai Dafydd.

'Y perygl mawr yw y bydd y llong yn cael ei sugno i ganol y seren fel i drobwll ac y cawn ein malu'n yfflon,' meddai Non.

''Swn i'n croesawu hynny,' meddai Dafydd.

Mewn amrantiad cawsant eu hyrddio ar draws y llawr i ben pella'r siambr. Roedd y gwaed yn pwyo yn eu clustiau a'u pennau ac yna collasant bob synnwyr o gyfeiriad. Gwasgwyd eu cyrff yn ddidrugaredd. Gwelsant wynebau ei

46

gilydd yn gwyrdroi fel delweddau mewn neuadd llawn drychau cam. Nid oedd yn bosibl dweud na gwneud dim ond edrych yn ingol ar ei gilydd. Llanwyd eu llygaid â düwch a gwyddai pob un nad oedd dim oll yn eu haros ond tywyll-wch a diddymdra.

Non oedd y gyntaf i ddadebru. Edrychodd ar y lleill ac er gollyngdod iddi roeddynt hwythau'n deffro o'u trwmgwsg.

'Ry'n ni'n fyw,' meddai, gan sibrwd i ddechrau ac yna ailadroddodd yr un geiriau drosodd a throsodd yn uwch ac yn uwch i'w darbwyllo ei hun. Ymysgydwodd y lleill.

Agorodd Mathew ei lygaid ac edrychodd o'i gwmpas.

'Ydyn, ry'n ni'n fyw!' bloeddiodd yntau. 'Ry'n ni wedi dianc!'

Cododd a thynnu'r ddau arall ar eu traed. Daeth bonllefau o orfoledd a rhyddhad gan y tri a dechreuasant ddawnsio mewn cylch gan ddal dwylo ei gilydd. Ond buan iawn y sobrodd Dafydd.

'Stopiwch!' meddai. 'Rydan ni mewn peryg o hyd. Dwy'n mynd i edrych ar y cyfrifiadur.'

Roedd y llestr wedi tawelu erbyn hyn ac roedd grwndi'r peiriant yn hymian yn eu clustiau. Caent y teimlad eu bod yn arnofio'n ysgafn drwy'r awyr.

'Dowch i gadarnhau hyn!' galwodd Dafydd. 'Dwy'n cael darlleniad rhyfedd. Mae'r cyfrifiadur yn dangos arafu mawr ac mae'r pelydr ffoton wedi'i ddiffodd. Mae'r peiriant wedi troi drosodd at danwydd atomig.'

Craffodd Mathew ar y panel. 'Rwyt ti'n iawn,' meddai gan gadw'r cyffro a deimlai dan reolaeth. 'Mynd yn ôl i gysawd yr haul, dyna be mae'r cyfesurynnau'n ei ddangos.'

'Ond sut mae hynny'n bosib?' meddai Dafydd.

Cododd Mathew ei ysgwyddau. 'Mae'r gofod yn gwyrdroi amser a lle. Rwyt ti'n gwybod hynny cystal â minnau.'

'Ond pam mynd yn ôl yn lle bwrw ymlaen, ar ôl dianc o'r seren ddu?'

'Siawns, neu ryw ffactor fympwyol sydd wedi'n taflu ni o'r rhigol *roulette* ac yn syth yn ôl i'n rhan ni o'r bydysawd,' awgrymodd Non. 'Y trydydd posibilrwydd.'

'Ond pwy neu beth sy'n llywio'r llong?' gofynnodd Dafydd.

'Hwyrach fod yr orsaf ofod wedi codi ein trywydd o'r diwedd,' atebodd Non. Drwy gydol y sgwrs roedd y tri ohonynt yn ceisio cuddio'r amheuaeth a deimlent, rhag poeni'r lleill.

Ceisiodd Dafydd diwnio i mewn i'r orsaf ofod uwch y ddaear lle cychwynnodd eu taith i'r sêr. Roedd y distawrwydd fel mewn eglwys wledig ar ganol wythnos.

'Does dim ateb o gwbl. Mae'n hynod iawn,' meddai.

Syllai'r ddau arall arno.

'Mae'r holl sefyllfa'n teimlo'n afreal rywsut,' meddai Dafydd o'r diwedd. 'Bron fel petai neb ond ni'n bodoli yn yr holl fydysawd.'

'Cod dy galon,' meddai Non. 'Fe gawn ni ateb cyn bo hir, siŵr o fod.'

'Dylai fod 'na ateb rhesymegol yn rhywle,' meddai Mathew.

''Sai'n dda gen i 'taswn i'n gallu rhannu'ch ffydd chi,' ochneidiodd Dafydd.

Daeth sŵn rhuo byddarol i'w clustiau drwy haen wydn y llestr. Rhuthrodd y tri i weld y cyfrifiadur. Gwelsant fod yr awto-peilot wedi defnyddio dyfais tanio'n-ôl. Byddai hyn yn ei arafu'n sylweddol. Ni allent gredu tystiolaeth eu llygaid.

'Mae'r cloc yn dangos wyth munud i sero!' ebychodd Mathew. 'Ac mae trwyn y llestr wedi mynd drwy ugain gradd. Edrychwch drwy'r perisgôp! Beth welwch chi?'

'Mae'n debyg iawn i'r ddaear ond ...' meddai Dafydd yn betrusgar.

'Heb os nac oni bai!' meddai Mathew ar ei draws. Ni allai atal y cyffro o'i lais yn awr.

Yn fuan iawn, fe fyddent yn gweld yr olygfa'n gliriach: y ddaear yn ei holl ogoniant; y moroedd glas, llachar a'r tir wedi'i daenu drostynt; y cyfandiroedd yn ymdroi'n osgeiddig fel dail ar blanhigyn dringo, gan chwyddo yn y fan hon a chulhau yn y fan draw, yn union fel yr ymddangosent ar y ffordd i fyny, tuag ugain mlynedd yn ôl os oeddynt wedi amcangyfri'n iawn.

Roedd y tri'n dawedog iawn wrth feddwl am

50

y foment dyngedfennol pryd y byddent yn rhoi eu traed ar y ddaear eto. Ble byddent yn glanio? Gan eu bod wedi colli cyswllt roeddynt yn dibynnu'n llwyr ar eraill i lywio'r llong. Tybed pa fath o groeso a gaent? Byddai rhai pethau wedi newid ar y ddaear gyda thraul y blynydd-oedd. A fyddai'r un gwleidyddion yn dal i lywodraethu? Gobeithient nad oedd neb wedi gwneud dim byd ffôl i beryglu'r heddwch sigledig a fodolai pan gawsant y neges olaf o'r ddaear. A beth am y llanastr a achoswyd gan ddyn a natur fel ei gilydd, ac a gynyddai o flwyddyn i flwyddyn? Oedd hynny dan reolaeth erbyn hyn? A'u teuluoedd a'u ffrindiau—beth oedd eu hanes nhw? Teimlai'r teithwyr yn bryderus wrth feddwl am y rhain ac am griw y fam-long a gollodd gysylltiad â nhw eu tri ym mherfeddion y gofod. Tybed a oeddynt hwythau wedi dychwelyd? Ni theimlai'r un ohonynt yn barod rywsut am yr holl sylw ac enwogrwydd oedd yn sicr o'u dilyn i bob man o hyn allan. Yn wir, byddai'r profiad o gyrraedd yn ôl fel mynd i rywle dieithr unwaith eto.

'Uchder: pedwar can mil o droedfeddi.' Darllenai Non yn uchel wrth wylio'r ffigurau'n gwingo ar y sgrin.

'Ac mae'r tymheredd yn codi'n arswydus y tu allan.'

'Ydy'r peiriant aeru'n gweithio'n iawn?' gofynnodd Dafydd yn chwim. 'Os na, mi gawn ni'n llosgi'n ulw gan y ffrithiant wrth fynd i mewn i awyrgylch y ddaear.' Oedodd dros y tri gair olaf. Roedd ofn arno. Nid ofn damwain ond rhywbeth mwy annelwig na hynny.

Cyn i neb ateb, roeddynt eu tri yn brwydro am eu gwynt, ac fe'u taflwyd yn ôl i'w seddau o flaen y cyfrifiadur gan rym disgyrchiant a gynyddai bob eiliad. Teimlent fel petai eu pennau'n cael eu gwasgu i ddau ddimensiwn a bod eu cyrff yn cael eu claddu dan dunnell o rwbel. Heb allu mynegi dim mwy wrth ei gilydd gwyddent fod grym disgyrchiant wedi cyrraedd naw 'g'. Ond wrth iddo fynd yn annioddefol bron, fe ddechreuodd lacio'i afael haearnaidd. Roeddynt yn teithio'n awr ar gyflymder sain, tua phum cilometr ar hugain fry. Yn sydyn dechreuodd y llestr ddirgrynu'n ffyrnig. Ond unwaith eto, fel petai'n rhyw fath o fod neu berson anweledig gollyngodd yr awto-peilot chwa o nwy o gwmpas y llestr i'w sadio a'i arafu wrth iddo ddisgyn i'r môr. Pan oedd ar fin cyffwrdd y môr, chwythwyd pant cylchog yn y dŵr ac fe hofrodd y llestr tua'r lan, gan dorri cwys ar wyneb y dŵr. Aeth ymlaen dros lain o dywod yn yr un modd nes canfod oddi wrth y radar fod creigiau yn ei lwybr.

# PENNOD III

Wedi glanio, edrychodd y tri drwy ffenestr y llong am rai munudau, yn llawn diolch ond ar goll am eiriau. Yn y pellter roedd y tonnau'n torri'n ewyn ar wastadedd y traeth. Edrychai fel rhesi o lês ar odre gwisg. Llinellau igam-ogam y creigiau oedd yn ffrâm i'r traeth. Roedd yn fachlud haul ac ymestynnai cymylau o'r un lliw â'r grug dros yr awyr uwchben. Disgynnodd y tri'n araf o'r llong.

'Mae mor dawel yma,' meddai Mathew. Aeth ias sydyn drwyddo. 'Mor wahanol i'r amser pan oedden ni'n cychwyn.'

'Ble'r ydyn ni?' meddai Non. 'Fe fyddwn i'n taeru ein bod ni wedi glanio'n ôl yng Nghymru!'

'Rwyt ti'n iawn, hefyd,' meddai Mathew yn syn. 'Mae'r arfordir yn edrych yn gyfarwydd iawn. Beth yw dy farn di, Dafydd?'

'Dwy'n cytuno. Cyd-ddigwyddiad inni ddod yn ôl i Gymru, yntê?'

'Os nad wy'n gwneud camgymeriad, dylai'r

54

pentre lle'r oedd fy chwaer yn byw fod yn rhywle ar hyd yr arfordir hwn. Llannerch oedd enw'r pentre,' meddai Mathew.

'Mae'n debyg fod yr orsaf wedi trefnu hyn,' meddai Non.

'Pam nad oes neb yma i'n croesawu ni felly?' meddai Dafydd yn amheus.

Ni fentrodd Non ateb ei gwestiwn. Aeth cryndod drwyddi. Roedd oerfel min nos yn eu hamgylchu a sŵn y gwynt yn chwyrnu yn eu clustiau.

'Mae rhywbeth yn od yma,' meddai hi, ar ôl saib.

'Wel does dim ond un peth amdani,' meddai Mathew, gan geisio codi ychydig o hyder. 'Rhaid cerdded i'r pentre agosa a chyhoeddi ein bod ni'n ôl.'

Dechreuodd frasgamu ar draws y tywod gwlyb, caled. Dilynodd y lleill ef. Dringasant i fyny'r llwybr pridd i ben y clogwyn. Roedd y ceilys yn tywynnu ar bob ochr fel sêr bach pinc. O'u blaenau, gorweddai rhostir unig lle chwifiai llafnau'r glaswellt a'r rhedyn mewn cytgord â'r gwynt. Gobeithient fod y llwybr cul, troellog a dorrwyd rhwng y creigiau yn arwain at bentref. Ar ôl cerdded am sbel, gwelsant rywbeth yn symud yn y pellter. Smotyn du ydoedd yn symud yn dalog tuag atynt. Wrth iddynt fynd heibio i droad yn y llwybr, sylweddolasant eu bod ar fin dod wyneb yn wyneb ag un o'r bobl leol oedd yn mynd â'i gi am dro. Hen ŵr a gwallt brith a barf ganddo. Daeth gwên barod i wyneb Mathew. Roedd yn cynllunio sut i ddweud eu hanes wrth y gŵr hwn mewn ffordd syml a chredadwy. Ond pan oeddynt tua hanner canllath i ffwrdd safodd y corgi yn stond ac ysgyrnygu ei ddannedd. Cododd ei glustiau bach miniog ond ni wnaeth ymdrech i ymosod arnynt. Roedd gwyn ei lygaid yn amlwg yn ei wyneb bach main. Syllodd y dyn fel petai wedi'i barlysu. Safodd y tri chyfaill hefyd mewn penbleth. Wedi iddo ddod ato ei hun, plygodd yr hen ŵr i roi ei law ar ben y ci.

'Popeth yn iawn, Pero,' meddai'n frysiog, a'i olygon wedi eu serio ar Mathew. 'Awn ni o'r fan'ma.'

Cyn gynted ag y dywedodd y geiriau, trodd

ar ei sawdl gan barhau i edrych ar y tri dros ei ysgwyddau. Yna, er ei fod yn hen, rhedodd nerth ei goesau yn ôl i'r cyfeiriad y daethai ohono. Bwriodd ambell drem dros ei ysgwydd gan faglu dros dalpiau o bridd a cherrig. Brwydrai am ei wynt.

'Dewch 'nôl!' galwodd Mathew. 'Wnawn ni ddim drwg i chi.' Ond yn ofer. Roedd yr hen ŵr wedi diflannu o gylch troad arall yn y llwybr.

'Pam roedd cymaint o ofn ar y ci a'i feistr fel ei gilydd?' gofynnodd Non.

'Hanner munud,' meddai Dafydd, fel petai'r gwir wedi gwawrio arno. 'Mae'n rhaid ein bod ni'n edrych yn frawychus fel hyn.'

Edrychodd Mathew a Non ar ei gilydd. Roeddynt yn dal i wisgo'r dillad oedd yn addas i'r daith ofod.

'Wrth gwrs,' meddai Non. 'Awn ni'n ôl i'r traeth i dynnu'r hen blisgyn yma.'

'Mi ddylsai fod wedi sylweddoli pwy ydan ni, 'run fath,' meddai Dafydd yn siomedig. 'Ble mae o wedi bod yn ddiweddar, 'sgwn i? Mae'n sicr fod ein hanes ni wedi llenwi'r papurau a'r cyfryngau.'

'Hwyrach nad yw'r newydd wedi cyrraedd yr ardal hon eto. Mae fel diffeithwch yma.'

\*　　\*　　\*

Ymddangosai'r rhostir yn ddi-ben-draw i'r hen ŵr wrth iddo'i groesi. Gwibiai'r prysgwydd bratiog heibio a chleciai'r rhedyn dan ei draed. Safai'n llonydd bob hyn a hyn i gael ei wynt ato. Roedd poen yn gafael fel gefel yn ei frest. Arhosai'r hen gi bach wrth ei sawdl bob cam gan synhwyro poen ei feistr. Cyrhaeddodd ei fwthyn a syrthio ar drothwy drws y ffrynt.

'Jonathan!' sgrechiodd ei wraig a rhuthro i blygu drosto. 'Dy galon di sydd? Fe ddwedais i wrthot ti am beidio â mynd mor bell.'

Ysgydwodd yr hen ŵr ei ben. 'Nid dyna'r rheswm,' sibrydodd yn araf. Crebachodd ei wyneb mewn poen. 'Fe welais i . . . fe welais i bethau mawr, Marian. Alla i ddim credu . . . Does dim posib . . . gweld ysbryd!'

'Am beth rwyt ti'n sôn, Jonathan bach?'

Ond ni fedrai'r hen ŵr ateb. Roedd wedi suddo i gyflwr anymwybodol. Llusgodd ei wraig ef ar draws y llawr cerrig i gongl yr ystafell a'i wneud mor gyfforddus ag y gallai.

Taenodd wrthban drosto ac yna aeth i dŷ'r meddyg gan obeithio na fyddai'n rhy hwyr.

*     *     *

Roedd y machlud yn goch fel melon-dŵr erbyn i'r tri theithiwr gyrraedd cyrion y pentref.

'Llan-saint.' Darllenodd Mathew yr arwydd ar ochr y lôn. 'Na, dwy ddim yn cofio'r pentre hwn, wedi'r cwbl.'

Roedd gwrychoedd uchel yn tyfu bob ochr i'r lôn fach wledig ac ambell gangen denau, bigog yn crwydro o'r tyfiant i grafu eu hwynebau. Nythai nifer o fythynnod gwyngalchog to gwellt y tu ôl i'w gilydd ar hyd y lôn wrth iddi fynd yn fwy serth. Clywent sŵn clecian cyflym o un o'r gerddi a llenwid yr awyr ag aroglau melys glaswellt. Wrth iddynt nesáu daeth gwraig i'r golwg. Roedd hi'n lladd y gwair â pheiriant henffasiwn. Bu Non ar fin ei chyfarch ond ciliodd y wraig i'r tŷ heb sylwi arnynt. Yna clywsant sŵn carnau ceffyl yn tuthian y tu ôl iddynt. Troesant a gweld ceffyl yn tynnu cerbyd i fyny'r allt yn sionc. Ni chymerodd y gyrrwr sylw ohonynt, mwy na'r wraig yn yr ardd.

'Mae hwn yn lle od,' meddai Non. 'Mae mor hen ffasiwn. Wyddwn i ddim fod lleoedd fel hyn ar ôl yn y byd, ar wahân i'r rhai sy wedi cael eu creu'n fwriadol fel prosiect hanesyddol.'

'Mae'r bobl yn od, hefyd,' meddai Dafydd. 'Dwy'n credu y dylen ni droedio'n ofalus iawn cyn cyhoeddi wrth neb pwy ydan ni.' Llefarai'n uchel yr hyn yr oedd y lleill yn ei deimlo'n reddfol yn barod.

'Beth am chwilio am westy yn gyntaf, lle cawn ni ffonio,' awgrymodd Mathew.

'Cyd-weld,' meddai Non. 'Mae rhywbeth mawr yn bod. Alla i ddim dweud yn hollol beth, ond . . .'

'Rwyt ti'n iawn,' meddai Dafydd cyn iddi gael amser i orffen ei brawddeg. 'Mae'r awyrgylch yn rhyfedd iawn yma.'

Daeth tŷ tafarn i'r golwg ar ben yr allt. Roedd golwg ddigon croesawgar arno o'r tu allan. Goleuid y drws pren gan luserni oren a hongiai basgedi llawn blodau mynawyd y bugail uwchben. Tyfai'r eiddew fel gorchudd dros y muriau. Wrth iddynt ddynesu at y fynedfa clywsant sŵn hisian yn dod o'r lluserni.

'Lluserni nwy!' meddai Non. 'Rhaid bod y perchennog yn ceisio creu awyrgylch yr hen fyd.'

'Gobeithio y bydd ychydig mwy o fywyd yn fan'ma nag yn is i lawr yn y pentre,' meddai Dafydd. 'Welais i 'rioed le mor gysglyd.'

Edrychodd y tafarnwr i fyny o'i waith yn caboli'r gwydrau y tu ôl i'r bar. Dyn canol oed, yn dew ac yn iach yr olwg. Roedd ganddo wallt trwchus a thaclus. Gweithiai yn llewys ei grys a sylwodd Non fod brethyn y crys yn gras fel petai wedi'i wehyddu gartref. Adlewyrchai'r pren tywyll fflamau'r tân oedd yn y gornel ac roedd sglein ar bopeth.

'Noswaith dda, foneddigion. Be ga i wneud i chi?' gofynnodd y tafarnwr, gyda gwên.

'Dyma welliant,' meddai Dafydd dan ei wynt. Ac yna'n uchel: 'Oes teleffon y cawn ni'i ddefnyddio, os gwelwch yn dda?'

Crychodd y tafarnwr ei dalcen. 'Nac oes, mae arna i ofn. Yn y pentre nesaf mae'r teleffon agosaf, tua deng milltir i lawr y lôn.'

Edrychodd arnynt yn fwy craff ar ôl gweld yr effaith a gawsai ei eiriau. Roedd eu hwynebau'n

61

dangos siom ac anghredinedd ar unwaith. Astudiodd eu gwedd am ennyd. Ni welsai siaced na thrywsus yn union 'run toriad â'u rhai nhw. Roedd y brethyn hefyd yn fwy coeth na dim a welsai o'r blaen. A'r ferch hefyd yn gwisgo trywsus!

'Ry'ch chi'n ddierth yn y fro hon,' meddai'n garedig o'r diwedd. 'O ble daethoch chi, os ca i fod mor hy â gofyn?'

Taflwyd y tri oddi ar eu hechel yn fwy byth. Nid oeddynt wedi eu paratoi eu hunain ar gyfer y fath gwestiwn. Edrychasant ar ei gilydd yn gyflym yn y saib a ddilynodd ei eiriau. Mathew oedd y cyntaf i feddwl am ateb.

'Wedi teithio dros y môr y'n ni,' meddai.

'O wela i,' meddai'r tafarnwr, yn fodlon ar yr ateb i bob golwg. 'Ry'ch chi wedi cyrraedd erbyn yr Ŵyl Geltaidd, felly. Pam na wnewch chi aros yma heno a gwneud yr alwad deleffon yn y bore? Mae wedi nosi ac mae'r lôn yn arw. Mae gen i jyst digon o le i chi, wrth lwc.'

Achubodd Mathew ar y cyfle hwn ar ran pawb a derbyniodd hefyd y cynnig o frechdanau cig a gwydraid o gwrw i bob un. Aethant at y bwrdd oedd agosaf at y tân i ddisgwyl am y lluniaeth. Erbyn hyn roeddynt wedi magu archwaeth. Dawnsiai'r fflamau i fyny'r corn simdde.

'Braf gweld aelwyd iawn unwaith eto,' meddai Non gan gynhesu'i dwylo'n nerfus.

Yn fuan iawn daeth y tafarnwr draw â'r brechdanau a'r ddiod, a'u gosod yn ofalus o'u blaenau. Aeth dwylo Dafydd yn reddfol i'w boced i estyn arian ond sylweddolodd ar unwaith nad oedd dimai goch gan yr un ohonynt.

'Peidiwch â phoeni,' meddai'r tafarnwr wrth ei weld yn ymbalfalu. 'Fe gewch chi dalu yn y bore.'

Mentrodd Mathew roi tipyn o brawf arno.

'Y'ch chi wedi clywed sôn am ddychweliad y llong ofod?'

'Llong ofod?' Chwarddodd y tafarnwr. 'Naddo'n wir. Maen nhw wedi rhoi'r gorau i wneud pethau felly erstalwm iawn, on'd y'n nhw?'

'Ond,' parhaodd Mathew er gwaetha golwg

63

rhybuddiol gan Dafydd, 'dy'n nhw ddim wedi sôn amdani ar y teledu?'

'Teledu? Mawredd, dwy ddim yn ddigon pwysig i fod yn berchen ar set deledu, syr. Wn i ddim am neb arall chwaith.'

Trawyd y tri chyfaill yn fud. Edrychodd y tafarnwr arnynt yn ddryslyd braidd. Tynnodd Non anadl ddofn yn barod i esbonio popeth am eu sefyllfa iddo, ond rhoddodd Dafydd law ar ei braich i'w hatal, ac amneidiodd tuag at gongl arall yr ystafell. Yno safai tri dyn, ffermwyr lleol wrth eu golwg, yn disgwyl eu tro wrth y bar. Sylwodd y tafarnwr arnynt hefyd ac fe'i hesgus-ododd ei hun gyda rhyddhad i fynd i weini arnynt. Roeddynt yn sefyll yn y cysgod ond gallai'r tri theithiwr glywed eu sgwrs. Siaradent yn ddwys am un o'u ffrindiau oedd ar fin marw. Tynnodd y tafarnwr wydraid i bob un ac yna pwysodd ei benelin ar y bar i ymuno yn y sgwrs.

'Diwedd y byd, mae'n rhoi braw i rywun,' meddai, wrth iddynt roi'r newydd iddo. 'Wrth gwrs, mae e'n tynnu 'mlaen. Ymhell dros ei wyth deg, siŵr o fod.'

'Ond roedd e'n iach fel cneuen pan gychwynnodd am dro gyda'r ci, yn ôl ei wraig,' meddai'r hynaf o'r pentrefwyr.

'Wedi cael strôc wrth gyrraedd y tŷ,' meddai un arall, dyn tal, tenau.

'Roedd edrychiad ofnadw ar ei wyneb,' meddai ei ffrind. 'Wedi cael sioc o ryw fath.' Rhoddodd ei getyn yn ôl yn ei geg. 'Ac mae ei wraig yn methu deall ei eiriau ola cyn iddo fynd yn anymwybodol.'

''Sgwn i beth oedd e wedi'i weld?'

Roedd Mathew wedi ei gythryblu'n fawr wrth glywed hyn. Fflachiodd darlun o wyneb yr hen ŵr i'w feddwl. Roedd rhywbeth cyfar-wydd yn yr wyneb hwnnw. Synhwyrodd hynny cyn gynted ag y gwelodd ef ond buan yr anghofiodd amdano wedyn. Yn awr, câi'r profiad pryfoclyd o geisio cofio rhywun y tu allan i'w gyd-destun arferol.

'Rwy'n 'nabod yr hen ŵr,' meddai'n ddistaw wrth y ddau arall, 'ond alla i mo'i leoli. Mae'r dirwedd yma yn f'atgoffa o ardal fy nheulu, ac eto, mae'n wahanol.'

'Efallai'n bod ni wedi aros i ffwrdd yn hwy nag yr oedden ni'n tybio,' meddai Non.

65

'Ar y llaw arall,' gwrthwynebodd Dafydd, 'os ydan ni wedi dychwelyd yn hwyrach na'r disgwyl, sut a pham mae popeth mor hen-ffasiwn yma? Y peth cyntaf welson ni oedd ceffyl a throl ar y lôn a rŵan 'dan ni'n darganfod nad oes gan y tafarnwr ddim teleffon na theledu!'

'Dim ynni trydan, 'chwaith,' meddai Mathew. Bwriodd olwg chwim dros y lampau nwy a'r tân glo.

'Ond mae e wedi clywed sôn amdanyn nhw,' meddai Non.

'Mae o wedi clywed am longau gofod, ond dydy o ddim yn awyddus i wybod dim oll amdanyn nhw 'chwaith,' meddai Dafydd yn fyfyrgar.

'Cofiwch,' meddai Mathew, 'fe allai un o dri pheth fod wedi digwydd inni pan oedden ni dan ddylanwad y seren ddu. Gallen ni fod wedi troi mewn cylch am byth, neu gael ein tynnu i ganol y seren nes bod llai na lluwchyn ohonon ni ar ôl, neu ddianc trwy fwlch i'r bydysawd unwaith eto. Ac mae'n amlwg taw'r trydydd posibilrwydd a wireddwyd.'

'. . . Ond i ba amser . . . ?' torrodd Non ar ei draws.

'Yn union.'

Bu distawrwydd am rai munudau tra oedd y tri'n pendroni am yr hyn a ddigwyddasai iddynt. Edrychent ar ei gilydd yn boenus bob hyn a hyn wrth feddwl am eu sefyllfa. Roeddynt wedi disgwyl y byddai'r byd wedi newid ond nid cymaint â hyn. Pam roedd pawb mor ddifater a chyntefig? A ble'r oedd eu ffrindiau? Dafydd oedd y cyntaf i dorri gair.

'Dwy'n mynd tua'r gogledd 'fory,' datgan-odd, 'i chwilio am 'y nheulu a datrys y dirgelwch yma.'

'A' innau i gefn gwlad, tua'r dwyrain, i wneud yr un peth,' meddai Non. 'Beth amdanat ti, Mathew?'

'A' i i chwilio am deleffon gyntaf,' meddai, 'ac fe ddo' i'n ôl yma wedyn. Rwy angen amser i feddwl.' Roedd ei eiriau olaf yn golygu nad oedd yn disgwyl llawer o hwyl ar y gwaith teleffonio.

'Yn y cyfamser, rwy'n cynnig inni fynd yn ôl

i'r traeth a threulio'r noson yn y llong,' meddai Non.

Codasant fel un gŵr a chyrchu am y drws.

*      *      *

Roedd y tafarnwr wedi mynd i mofyn celwrn arall o gwrw o'r seler. Wrth ddod yn ôl sylwodd fod yr ymwelwyr 'Gŵyl Geltaidd' wedi diflannu.

'Diwedd, maen nhw wedi 'madael cyn i mi gael siawns i ddangos eu llofftydd iddynt,' meddai wrth ei dri chwsmer arall. Aeth at y drws, ei agor a sbecian i'r nos. 'Dim sôn amdanyn nhw'n unman,' meddai wrtho'i hun.

'Am bwy wyt ti'n sôn, Jac?' gofynnodd yr un tal, ar ôl cymryd llwnc.

'Wel y ferch a'r ddau ŵr ifanc oedd yma funud yn ôl, siŵr iawn.'

'Does neb ond ni wedi bod yma drwy'r amser,' atebodd y llall.

'Wel oes, neno'r tad! Welsoch chi mo'nyn nhw? Yn gwisgo dillad cain iawn. Tri Gwyddel wedi dod draw am yr Ŵyl, dybiwn i. Yn eistedd yn fan'cw.'

'Rwyt ti'n gwneud camgymeriad, Jac. Mae wedi bod fel y bedd yma.'

'Ond bues i'n siarad â nhw! Roedden nhw'n gofyn am deleffon ac roedd chwilen ym mhen un ohonyn nhw am long ofod.'

Edrychodd y tri arall ar ei gilydd yn amheus.

'Sgwrs ryfedd iawn,' meddai'r hynaf.

'Oni welaist ti fi'n mynd â bara a chig iddyn nhw?' Roedd saib. 'A chwrw hefyd.' Roedd y tafarnwr yn ceisio'i orau i'w ddarbwyllo.

'Dyna pam roist ti'r pethau ar y ford? Does dim tamaid wedi mynd.' Chwarddodd y siaradwr a thagu dros ei getyn.

Craffodd y tafarnwr i'r gwyll. Roedd yn wir. Safai'r gwydrau llawn cwrw a'r platiau wedi'u pentyrru'n daclus â brechdanau, yn union fel y gosodwyd hwy chwarter awr yn ôl.

'Mae'n rhaid dy fod ti wedi dychmygu pethau,' meddai'r dyn tal.

'Nhw sy wedi bod yn dychmygu pethau,' atebodd y tafarnwr. 'Dychmygu bwyta ac yfed, fel pobl mewn breuddwyd.'

'A thithau'n rhannu yn y freuddwyd,' meddai'r dyn a'r cetyn ganddo.

'Mae'n swnio i mi dy fod ti wedi gweld ysbrydion,' meddai'r hen ŵr yn ddifrifol. 'Mae rhai yn gallu eu gweld nhw, a rhai ddim. Mae hyn wedi bod yn wir drwy'r oesoedd. Rwyt ti'n un o'r rhai prin hynny . . .'

Gwelwodd y tafarnwr a thorrodd ar ei draws: 'Peidiwch â dweud wrth neb am hyn, rwy'n crefu arnoch chi'ch tri.'

'Rwyt ti yn ein 'nabod ni, Jac. Wnawn ni ddim torri gair wrth neb os nad wyt ti'n dymuno,' addawodd yr hen ŵr. 'Ond beth ddwedson nhw wrthyt ti?'

'Roedd yn anodd dilyn eu sgwrs gan fod eu hacen yn rhyfedd.'

'Yn henffasiwn?'

'Ie, fel petaen nhw'n gyfarwydd â phethau'r oes o'r blaen hefyd—peiriannau trydan ac ati.'

'Sôn am beiriannau, rwy i wedi llwyddo i drwsio'r aradr,' meddai'r dyn tal. Dechreuodd ddisgrifio'r gwaith.

Roedd y tafarnwr yn ddiolchgar am y cyfle i droi'r stori. Ni thyciai iddo weld pethau nad oedd ei gymdogion yn gallu eu gweld rhag ofn iddo gael ei gyhuddo o ddewiniaeth. Byddai'r

70

Gwarchodwyr felltith yna yn ei holi yn rhinwedd eu swydd fel llygaid y Llywodraeth. Roedden nhw â'u pig ym mhopeth ac roedd e wedi bod mewn helynt gyda nhw o'r blaen.

\* \* \*

Ymlwybrai'r bobl mewn gorymdaith fechan tua glan y môr. Canolbwyntiai pob un ar y cylch symudol o oleuni a deflid gan ei ffagl a gallent weld pob llafn o'r glaswellt. Roeddynt yn ymwybodol o'r cysgodion llwyd a orweddai ar y tir, a'r bryniau oedd yn caneitio dan olau'r lleuad. Cyraeddasant y dibyn a sefyll mewn rhes gan graffu ar y traeth. Islaw roedd y creigiau'n ffurfio cilfach yn y tywod fel braich yn ymestyn i gofleidio rhywbeth.

'Yn y fan'cw roedd y peth,' meddai'r ferch, 'dan y creigiau.'

'Dwed ti eto, sut olwg oedd arno?' Y tafarnwr oedd yn siarad.

'Siâp hirgrwn fel wy mawr.'

'Ond pa liw oedd e?'

'Math o fetel llachar.'

'Ond dyw e ddim yno'n awr,' meddai un o'r

ffermwyr lleol oedd wedi bod yn y dafarn yn gynharach.

'Mae'n rhy dywyll i weld. Oes eisiau mynd i lawr?' Cyfeiriodd y tafarnwr ei gwestiwn at bawb.

'Na, peidiwch â mynd i lawr, mae'n beryglus,' meddai mam y ferch. 'Thâl hi ddim bod yn rhy chwilfrydig.'

'Digon gwir,' murmurodd rhai o'r pentrefwyr eraill. Roedd ymyrryd â rhai pethau yn gallu dod â dinistr i'r byd. Roedd hanes yn profi hynny.

'Oedd olwynion ganddo?' gofynnodd rhywun.

'Wn i ddim. Roedd y golau'n brifo fy llygaid. Ond roedd e yma, wir,' mynnodd y ferch.

'Rwy'n credu dy fod ti wedi cael dy dwyllo gan yr haul,' meddai pentrefwr arall. 'Mae pelydrau ola'r dydd yn creu rhith, weithiau. Ac mae mwynau disglair fel cwarts yn y creigiau.'

'Ie, adlewyrchiad oedd y cwbl, mae'n debyg,' meddai'r ffermwr.

Mynegai tawelwch y ferch ei hystyfnigrwydd. Nid oedd neb yn mynd i'w pherswadio nad oedd hi wedi gweld yr hyn a welodd. Na'r hyn a welai'n awr, sef y siâp tywyll yn y tywod. Ond doedd wiw iddi groesi'r oedolion.

'Mae pethau od yn digwydd yma heno,' meddai'r tafarnwr. Edrychodd rhai arno gan ddisgwyl iddo ddweud mwy, ond fe gaeodd ei geg yn sydyn.

'On'd yw e'n gyd-ddigwyddiad fod Helen wedi sylwi ar rywbeth od tra oedd hi'n marchogaeth dros y traeth,' meddai mam y ferch, 'ac yna fod Jonathan druan wedi cael profiad cas hefyd yn yr unfan, mwy neu lai?'

'Triais fynd yn nes ato,' meddai Helen, 'ond roedd y ceffyl yn gwrthod.'

*       *       *

'Ydyn nhw'n mynd i ymosod arnon ni?' meddai Non. Swatiai'r tri yn y llong a gwylio trwy'r ffenestr fach, gron y grŵp o bobl oedd wedi ymgynnull ar ben y clogwyn.

'Go brin,' cysurodd Mathew hi. Rhoddodd ei law yn gadarn ar ei hysgwydd wrth weld ei bod hi'n crynu. 'Mae rhywbeth yn eu poeni'n

73

ddirfawr. Fe alla i ddweud wrth eu symudiadau nhw.'

''Drycha,' meddai Dafydd. 'Maen nhw'n craffu i'n cyfeiriad ni ac eto, dwy ddim yn credu y gallan nhw'n gweld ni. Rhaid bod rhywun wedi sylwi ar y llong tra oeddan ni yn y pentref, ac wedi dweud wrth y lleill.'

'Mae'n od, on'd yw e?' meddai Non yn drist. 'Rwy'n gwybod ym mêr f'esgyrn ei fod yn beth peryglus ceisio cyfathrebu â nhw. Alla i ddim dweud pam. Ond rwy'n gwybod bod agendor rhyngon ni a nhw, bron fel petaen ni'n perthyn i fyd arall.'

'Maen nhw wedi troi'n ôl tua'r pentre, nawr,' meddai Mathew.

'Diolch byth!' meddai Non gyda rhyddhad.

'Rhyfedd nad ydyn nhw'n fwy chwilfrydig,' oedd sylw Dafydd. 'Maen nhw fel pobl y Canol Oesoedd, yn tyrru i weld rhywbeth ond yn ofni gwneud dim.'

Ymdaenai cwmwl fel clais dros wyneb y lleuad ac roedd tywyllwch y nos yn dyfnhau. Nid oedd sŵn yn unman i dorri ar ochenaid ddibaid y tonnau. Gweddai unigrwydd a gwacter

yr olygfa i gyflwr meddwl y tri yn y llong. Gor-
weddent ar eu gwelyau yn dawedog a siomedig.
Gwyddai pob un fod y dyfodol yn amwys iawn.
Ac felly suddasant i drwmgwsg nes i gannwyll y
wawr ledu ei phelydrau cwyraidd dros yr awyr.

# PENNOD IV

Cymerodd Dafydd yr un llwybr ar draws y clogwyn ag a wnaeth gyda'i gyfeillion y noson cynt. Roedd haen ysgafn o farrug yn cyffwrdd â llafnau'r gwellt a'r rhedyn—barrug cynta'r gaeaf. Âi sibrwd cryg y môr yn is ac yn is wrth iddo symud yn bellach i ffwrdd ac yn raddol llithrai wyneb y dŵr is y gorwel. Doedd dim adyn byw yn agos at ben y clogwyn hyd yma. Roedd yn rhy gynnar i bobl fynd â'u cŵn am dro hyd yn oed, ac roedd yn dda gan Dafydd gael llonydd. Ni fynnai gyfarfod â neb ar y gwastatir hwn.

Pan gyrhaeddodd y ffordd fawr, synnai weld ei bod hi'n bell o fod yn addas i drafnidiaeth. Roedd yn gul ac yn llawn pantiau a rhigolau fel y lôn fach drwy'r pentref. Ar ôl cerdded am awr neu fwy clywodd sŵn carnau y tu ôl iddo. Sŵn llon, cyflym ydoedd. Trodd i weld ceffyl a throl yn ei oddiweddyd a hen ŵr yn eistedd yn sedd y gyrrwr. Bywiogodd Dafydd drwyddo wrth weld cyfle i ffawdheglu. Ni welai lawer o niwed

76

yn y peth ond iddo fod yn ochelgar. Estynnodd ei fraich i gyfarch yr hen ŵr. Arafodd ei gert a chyfarchodd yntau Dafydd.

'Y'ch chi'n mynd yn bell?' Pwysodd dros ochr y cerbyd i ofyn ei gwestiwn.

'Tua'r gogledd.'

'Neidiwch i mewn, 'te. Welwch chi fawr neb yn mynd i'r cyfeiriad yna. Mae'r lôn yma'n unig ar y gorau. Rhwng hynny a bod pawb yn mynd i'r cyfeiriad arall heddi oherwydd yr Ŵyl.'

'Does dim ceir yn mynd heibio, debyg?' gofynnodd Dafydd wrth ei wneud ei hun yn gyfforddus yn y sedd uchel wrth ochr y gyrrwr.

Trodd y gyrrwr ei lygaid glas treiddgar ar Dafydd. Roedd aeliau gwyn trwchus yn eu cysgodi ac roedd mwstas bach gwyn ganddo, wedi'i dorri'n fyr uwch ei wefus. Ffermwr parchus iawn, meddyliiodd Dafydd, wrth edrych hefyd ar ei siaced o frethyn cartref. Plygodd ychydig yn ei sedd a hanner cuddio'i wyneb rhag golygon sylwgar yr hen ffermwr.

'Does dim ceir wedi mynd ar hyd y ffordd hon ers Oes y Trychinebau,' meddai, fel petai'n edliw i Dafydd am iddo ddweud rhyw gabledd.

Teimlai Dafydd y llygaid treiddgar arno o hyd er ei fod wedi troi ei ben o'r neilltu.

'Trychinebau?' mentrodd ofyn mewn llais bychan. Gwyddai cyn cael ateb fod y gŵr yn mynd i sôn am ddigwyddiadau arbennig a aethai'n derm hanesyddol.

'Ie, amser hynny y daeth y ceir melltith yna i ben. Mae bechgyn fel chi sy wedi tyfu lan mewn oes newydd yn tueddu i fod yn anwybodus o'r ffeithiau.'

Amneidiodd Dafydd, i fynegi ei fod yn cytuno. Gwyliai'r lôn yn ymestyn o'u blaenau cyn belled ag y gwelai'r llygaid a gwrych o ddrain dryslyd yn gwarchod y ddwy ochr. Pendronai sut i gael gwybodaeth gan y dyn heb darfu arno wrth ofyn cwestiynau y dylai wybod yr atebion iddynt. Ond doedd dim rhaid iddo boeni. Roedd y ffermwr yn siaradus.

'Wyddoch chi, mi fydda i'n ceisio dychmygu sut roedd bywyd yr amser hynny, yn union o flaen y Trychinebau. Roedd ganddyn nhw bob math o bethau dianghenraid. Nwyddau gwastraffus di-ddim o'r ffatrïoedd, a phob un wedi'i lapio mewn papur a phlastig a metel a gwydr nes bod y strydoedd a'r wlad yn suddo dan sbwriel. Y gymdeithas faterol!' Bu bron iddo boeri'r geiriau olaf allan.

'Roedd eu pethau materol yn gysur iddyn nhw yn y byd mawr peryglus yr oeddent yn byw ynddo,' meddai Dafydd.

'Gormod, dyna oedd y drwg,' parhaodd yr hen ŵr. 'Y gwastraff oedd y peth sy'n haeddu'r condemniad mwyaf. Meddyliwch am yr holl ynni yn cael ei afradu i gynhyrchu pethau di-ddim fel, fel ...'

'Ceir?' awgrymodd Dafydd.

'Ie, ceir a pheiriannau o bob math. Meddyliwch fod ganddyn nhw beiriannau i wneud cynifer o orchwylion bychain y mae'n haws eu gwneud nhw â llaw. Roedden nhw'n meddwl eu bod nhw wedi cyrraedd brig gwareiddiad ar y ddaear ond rwy'n credu taw ni sy'n nes at y nod hwnnw yn ein ffordd fach syml ni. Ry'n ni wedi dysgu sut i fyw yn ôl deddfau natur.'

''Dach chi ddim yn credu mewn meistroli natur?'

79

'Syniadau fel 'na oedd yn gyfrifol am ddod â'r byd i flaen y dibyn,' atebodd yr hen ŵr yn llym.

'O fewn rheswm ro'n i'n feddwl,' ychwanegodd Dafydd yn gyflym.

'Ry'n ni wedi dewis gwneud heb dechnoleg,' meddai'r llall yn falch. 'O, ry'n ni'n gwybod amdani ond wedi'i gwrthod. Mae technoleg i bwrpasau pwysig y Gwarchodwyr yn unig.'

Ysai Dafydd am ofyn pwy oedd y Gwarchodwyr. Y Llywodraeth efallai? Ond ni fynnai ei fradychu ei hun fel dieithryn. A dyna'r caswir. Dieithryn oedd ef.

'Daeth y cwymp terfynol o bob cyfeiriad ac ar yr un pryd, mwy neu lai. Roedd yn anochel, fachgen, y ddaear yn adweithio ac yn ei hamddiffyn ei hun.' Roedd yr hen ŵr yn meddwl yn uchel. 'Llifogydd a newyn a phla. Melltith ar eu pennau nhw am reibio natur! Ond fe gafodd hi ddial, on' do? Aeth dynion yn fwy a mwy gwallgo fel nad oedd dim modd byw mewn dinas na theithio o gwmpas y byd yn ddiogel. Yr amser hynny y dechreuodd y bobl ddychwelyd i'r tir a cheisio'i adfer—y rheini oedd ar ôl, beth bynnag.'

80

Cydiai arswyd yn Dafydd. Ni wyddai pa fath o newydd neu ddatguddiad a ddeuai nesaf i danseilio'i feddwl a'i afael bregus ar y sefyllfa. Roedd yn wir felly eu bod nhw wedi dychwelyd i fyd gwahanol ac amser gwahanol, lle nad oedd dim yn gyfarwydd iddo. Gwyddai hyn ym mêr ei esgyrn ers y camau cyntaf hynny ar y traeth, ond roedd wedi osgoi wynebu'r gwir tan nawr. Roedd cant a mil o gwestiynau yn byrlymu ar flaen ei dafod ond wiw iddo'u gofyn rhag ofn y byddai'r ffermwr yn amau rhywbeth. Byddai'n rhaid iddo ofyn un neu ddau beth allweddol mewn modd cyfrwys fel na fyddai'n tynnu sylw ato'i hun. Y peth pwysicaf oedd gwybod faint o flynyddoedd a aethai heibio ers iddo ef a'i ffrindiau ymadael. Cofiai fod pethau wedi dechrau mynd o chwith ar y blaned yr amser hynny, hyd yn oed. Roedd y ddaear wedi cael ei rhwygo a'i threisio am ei hadnoddau, a'r holl goedwigoedd wedi eu torri i wneud lle i'r bobl. Gormod o boblogaeth, dyna oedd y drwg. Roedd tanwydd ffosil wedi eu hen ddihysbyddu, i bwrpasau diwydiant, beth bynnag, ac roedd ynni niwclear wedi cymryd ei le er bod y broblem wastraff heb ei datrys. Roedd rhai anifeiliaid yn mynd yn brinnach ac yn brinnach. Y llewpard, y llamhidydd, y morlo a thrigolion y fforestydd trofannol . . .

'Ry'ch chi'n ddistaw iawn,' meddai'r ffermwr, yn gyhuddgar braidd. Gobeithiai am gwmni difyr ar siwrnai hir. Tarfodd ei eiriau ar Dafydd.

'Trio cofio faint yn union o flynyddoedd sydd ers i hyn oll ddigwydd,' atebodd gan ddal i osgoi trem y ffermwr.

'Mae'n debyg ei bod yn anodd i rywun ifanc fel chi gofio. Dysgu fel hanes wnaethoch chi, wrth gwrs. Ro'n innau'n rhy ifanc i ddeall llawer. Ond rwy'n cofio clywed Mam a Nhad yn trafod y pethau'n ddwys iawn.'

Cyfrifodd Dafydd yn gyflym. Felly roedd y dyn yn sôn am ddigwyddiadau tua thri chwarter canrif yn ôl!

'Roedden nhw'n meddwl ein bod ni i gyd yn mynd i farw. Yn enwedig ar ôl i'r rhyfel ddechrau yn y Dwyrain Canol a'r bom anferth ffrwydro.'

'Bom niwclear?'

'Ie, dyna oedd y term, rwy'n meddwl. Fydda i byth yn anghofio'r noson i Nhad 'y nghymryd ar ei lin ac esbonio wrtho i—i'm paratoi, weli di, rhag ofn y byddai'r byd yn dod i ben arnom. Dyna gosb a ddaeth o law Duw. Fe fwriodd ei ergyd ar yr un gwledydd ag yn yr hen, hen oesoedd. Nid dilyw mo'no'r tro hwn, ond tân difaol.'

'Ond dynion oedd yn gyfrifol am ollwng y bom!'

'Wedi eu gyrru'n wallgo'n gyntaf gan Dduw fel cosb.'

'Y bom niwclear yn gosb Duw!' ebychodd Dafydd.

Edrychodd y ffermwr yn llym iawn arno.

'Beth arall?' gofynnodd. 'A pham y'ch chi'n mynnu defnyddio hen dermau fel ''niwclear''? Fe wyddoch yn iawn nad ydyn ni'n sôn am wybodaeth na dysg y gorffennol. Bu bron iddyn nhw achosi tranc yr holl fyd. Nid ein rhan ni yw datgelu cyfrinachau natur, na gwybod pam na sut. Rhan yr Hollalluog yn unig yw hynny. Bod yn ddiolchgar am ein harbed ni sydd ar ôl yn yr encil bach yma, dyna'n rhan ni.'

'Ond rhodd Duw yw gwybodaeth,' protestiodd Dafydd cyn iddo fedru ei atal ei hun.

'I'r gwrthwyneb, ŵr ifanc,' meddai'r llall a'i wyneb yn wyn gan ddicter neu ofn. 'Rhodd y diafol ydyw!' Crychai ei dalcen a gwibiai ei lygaid fel petai'n archwilio meddwl Dafydd.

Gallai Dafydd rag-weld beth fyddai'r cam nesaf: byddai'r hen ddyn yn credu ei fod yn dod oddi wrth y diafol! Oedd syniadau cul, cyntefig y ffermwr hwn yn nodweddiadol o'r gymdeithas yr oedd yn byw ynddi? Os felly, beth a wnaent â dyn yr oeddynt yn credu ei fod yn dod oddi wrth y diafol? Ar y cyfle cyntaf, llithrodd Dafydd o'r cerbyd mor ddistaw ac ysgafn ag y gallai tra oedd y ffermwr yn syllu i'r pellter. Bellach, roedd yn rhedeg o flaen y cert yr ochr draw i'r gwrych. Crogai'r dail crin, meirw o hyd o'r canghennau main, fel golosg y tân gwyrdd a ysgubai'r wlad yn y gwanwyn. Ymestynnai'r brigau uchaf at yr awyr fel dwylo du, esgyrnog mewn protest nes ymuno â'i gilydd yn y pellter. Neidiodd Dafydd i gysgod hen goeden wrth weld y ffermwr yn arafu'r cert am ennyd wrth fynd heibio ond dechreuodd yr olwynion

droi eto a rowliai'r cert yn ei flaen nes mynd yn
un â'r awyr laith, ddi-haul.

*  *  *

Os oeddynt wedi dyfalu'n iawn lle'r oeddynt
wedi glanio, dylai lleoliad cartref Non fod rai
cilometrau i'r dwyrain. Ni fyddai ei thaith mor
hir ag un Dafydd a phan ymadawodd ef gyda'r
wawr roedd hi a Mathew'n dal i gysgu'n drwm.
Deffrowyd hi gan sŵn miwsig a gâi ei gludo ar y
gwynt o rywle ymhellach i lawr yr arfordir.
Sŵn peraidd ydoedd. Llenwid hi ag awydd bod
yn ei ganol a theimlai gyffro o'r newydd ar ôl y
syrthni a'r siom a'i trechodd hi a'i dau gyd-
ymaith y noson cynt. Cododd ac agorodd ddrws
y llong. Roedd y niwl a ddeuai o'r môr yn
newid amlinelliad y creigiau ac yn creu awyr-
gylch afreal. Roedd aroglau heli ar yr awyr oer.
Anadlodd Non yn ddwfn o'r ffresni. Yna ysgrif-
ennodd nodyn i ddweud wrth Mathew y
deuai'n ôl, fin nos.

 Dringodd i ben y creigiau a chraffodd i
gyfeiriad y miwsig i weld y cantorion a'r
offerynwyr. Ond roedd y niwl yn rhy drwchus.
Prysurodd ymlaen ar hyd y llwybr cul a dorrwyd

ar draws y clogwyn. Roedd bron ag anghofio'r ofn a'r anfodlonrwydd a deimlai ynglŷn ag ymateb pobl y cylch. Deuai'r miwsig yn gliriach ac yn fwy nwyfus ac, fel petai'n cyfateb i hyn, dechreuodd yr haul oedd o'r un lliw â'r eithin, ddirgrynu drwy'r niwl. Yn awr gallai Non weld llawer o bobl, fel mewn ffair, wedi ymgynnull ar y rhostir uwchben y traeth, ychydig yn is i lawr na'r man lle glaniodd y llong. Cofiodd am yr Ŵyl Geltaidd a theimlai ei hen hyder a hapusrwydd yn dod yn ôl. Penderfynodd gymryd rhan yn yr hwyl. Wrth gwrs byddai'n rhaid iddi ei chadw ei hun ar yr ymylon a bod yn ochelgar. Gallai smalio bod yn ddieithryn. Byddai nifer o bobl ddieithr wedi cyrraedd. Onid oedd y tafarnwr wedi crybwyll hyn?

Safai stondinau yma a thraw, a'u perchnogion yn gwerthu ffrwythau y tymor, toreth o afalau amrywiol a gellyg. Roedd rhai eraill yn gwerthu brethyn o'r math syml a wisgai pawb. Sylwodd Non fod tyrfa o bobl yn cael ei denu at un stondin yn arbennig. Aeth yn nes a gweld bod papur ar werth yno. Gwelodd fod rhai pobl yn dadlau dros hyn a hyd yn oed yn bygwth ei gilydd nes i ddau ddyn ymddangos o'r tu ôl. Gwisgent fentyll hir, du fel mynaich. Roedd gweld eu hwynebau ceryddgar yn ddigon i wasgaru'r dorf. Yng nghanol y cae roedd cerddorion medrus yn canu'r ffidil a'r ffliwt a thelynau o siâp anghyfarwydd i Non. Ymgordeddai parti o ddawnswyr o'u cwmpas yn osgeiddig iawn. Gwisgent ddillad coch a gwyrdd a edrychai'n drawiadol iawn yn ymyl dillad plaen a llwydaidd y dorf. Yn y pen pellaf roedd dyn ifanc yn sefyll ar lwyfan ac yn traddodi araith tra ymgasglai nifer o wrandawyr wrth ei draed. Roedd hyn oll yn atgoffa Non o eisteddfod ac eto roedd y naws yn wahanol. Dynesodd at y siaradwr i wrando ar ei araith.

'A mawr yw ein diolch i'r Bod Mawr unwaith eto eleni ar Ddydd Calan Gaeaf am achub y darn bach yma o'r byd ar ôl y— Trychinebau.' Pwysleisiodd y gair hwn gydag ofn. 'Ni sydd wedi cael y fraint a ni sydd wedi cael ein dewis i fod yn gyfrwng eleni eto i'r Celtiaid i gyd ar ein tir ein hunain. A mawr hefyd yw ein diolch i'n Gwarchodwyr am gan-iatáu inni gynnal y fath ŵyl.'

Trodd pennau'r bobl i gyrion y gynulleidfa lle swatiai'r ddau ŵr oedd yn gwisgo mentyll du. Credai Non fod y gymeradwyaeth a gawsant yn daeog braidd. Amneidiodd y ddau yn anyst-wyth, ddi-wên.

'Ac yn awr,' parhaodd y siaradwr, 'gadewch inni drafod y caneuon buddugol. Daeth nifer dda o geisiadau i law eleni. Roedd hyn yn ôl y disgwyl gan fod dewis eang o destunau. Roedd y beirniaid o'r farn fod y gân o foliant i natur yn dangos nodweddion oedd yn rhy chwilfrydig. Disgrifiad o harddwch natur oedd eisiau. Nid ein rhan ni yw gofyn cwestiynau am bwrpas y byd naturiol, na cheisio datgelu ei gyfrinachau. Roedd y gân i'r Gwarchodwyr yn tueddu i fod yn rhy ddadleuol hefyd. Does neb yma'n deall pa mor gymhleth yw eu gwaith. Maen nhw'n gwneud cymaint drosom, felly wiw i neb eu beirniadu! Dewisodd nifer ysgrifennu ar y thema "Fy mhentref", a chawsom lu o ffeithiau diddorol iawn.'

Ymneilltuodd Non yn siomedig. Os oedd

geiriau'r siaradwr yn gwir adlewyrchu'r sefyllfa, roedd y wlad yn mynd trwy oes hesb a llom iawn o ran llenyddiaeth dda. A'r foment honno, trawyd hi â'r gwir am yr Ŵyl hon. Nid teyrnged i'r gorffennol, neu weithgaredd â'r gorffennol mewn golwg oedd hi, fel sawl gŵyl a gofiai hi. Dyma'r ffordd o fyw. Nid elfennau bach mewn brodwaith o adloniant amrywiol oedd y dawnsio gwerin a'r miwsig syml. Dyna oedd eu hunig adloniant! Hynny a'r cerddi sych a gâi eu cyfansoddi ar gyfer yr Ŵyl. Roedd fel petai'r cloc wedi'i droi'n ôl. Aeth cryndod drwyddi. Dylai fod wedi sylweddoli'r ffaith syml hon pan ddywedodd y tafarnwr y noson o'r blaen nad oedd na set deledu na theleffon ar gael mwyach, nid i bobl gyffredin, beth bynnag. A beth oedd y Trychinebau yr oedd y siaradwr yn cyfeirio atynt? Teimlai ing wrth feddwl y gallai ei chariad Rob fod wedi dioddef mewn rhyw ffordd. Dywedai llais bach wrthi na fyddai hi byth yn ei weld eto ond roedd yn rhaid iddi ddychwelyd i'w chynefin unwaith yn rhagor i gael tawelwch meddwl. Roedd Dafydd wedi profi'r un math o hiraeth.

Symudodd Non drwy'r dyrfa heb oedi'n ddigon hir i dynnu sylw ati ei hun. Yn hwyr neu'n hwyrach byddai'n rhaid iddi holi'r ffordd i'w phentref. Cofiodd hefyd, wrth edrych yn awr ar y busnes o brynu a gwerthu wrth y stondinau, nad oedd arian ganddi hi na'i ffrindiau. Byddai'n rhaid iddynt gysylltu â rhywun mewn awdurdod. Ni allent ohirio'r dasg hon lawer yn hwy. Ond at bwy y dylen nhw droi? Roedd y dynion hyn yn eu mentyll llaes yn amlwg mewn awdurdod, naill ai'n Warchodwyr neu'n gynrychiolwyr iddynt. Ond roedd yn gas ganddi feddwl taw atyn nhw y dylent fynd. Clustfeiniodd ar y ddau'n awr tra safent a'u cefnau ati.

'Mae'r Ŵyl wedi bod yn llwyddiannus eto eleni,' meddai un.

'Do,' meddai'r llall mewn tôn sych. 'Mae'n bwysig fod y bobl yn cael ychydig o ryddid o bryd i'w gilydd a rhywbeth i'w cadw'n ddifyr.'

Roedd hyn oll, felly, yn gyfle i gynnig briwsion o ryddid i bobl dan ryw fath o orfodaeth. Teimlai Non yn ddig drostynt. Roedd rhywbeth mawr yn bod ar y gymdeithas

90

yr oedd hi wedi dychwelyd iddi. Roedd geiriau nesaf y dyn cyntaf yn ategu hyn.

'Cyn belled ag y byddant yn dal i fod yn ofergoelus a pheidio â mynd ar ôl yr hen wybodaeth a dysg, siawns na fydd y byd yn lle haws i'w reoli o hyn allan.'

'Ie,' cytunodd y llall. 'Er eu mwyn nhw, yn y pen-draw, mae'r drefn bresennol. Wedi'r cwbl, mae dyfodol y byd wedi bod yn y fantol a hynny oherwydd bod pŵer a gwybodaeth a chyfoeth wedi cyrraedd pawb.'

'Canrif erchyll i fyw ynddi, mae'n siŵr gen i.'

'Y ganrif waetha oll!'

Canrif! Beth oedd ystyr hynny, meddyliodd Non. Oedd hi wedi bod i ffwrdd am ganrif? Roedd ei rheswm yn rhwym o wynebu'r posib-ilrwydd ond roedd ei chalon yn ei wrthod. Mentrodd fynd i gwrdd â gwraig a âi heibio gyda'i theulu.

'Maddeuwch imi,' meddai, 'ydych chi'n gwybod sut i gyrraedd pentre Cwm-glas?'

Safodd y wraig o'i blaen ac edrych yn syn arni.

91

Cerddodd ei gŵr a'i phlant ymlaen ychydig a dechrau cymryd diddordeb yn y dawnsio.

'Cwm-glas?' sibrydodd o'r diwedd. 'Mae'n rhaid eich bod yn ddierth yma.'

'Rhaid cyfaddef hynny,' atebodd Non a thinc o chwerwder yn ei llais.

'Wyddoch chi ddim, felly.'

'Gwybod beth?'

'Mae'r pentre wedi'i chwalu flynyddoedd yn ôl.'

'Beth am y tai?' gofynnodd Non, gan reoli'r braw yn ei llais.

'Does dim ond adfeilion yno'n awr.'

'Oes posib mynd i ymweld â'r lle?'

Roedd ofn yn llygaid y wraig. Edrychodd o'i hamgylch yn bryderus.

'Dyw'r Gwarchodwyr ddim yn caniatáu i neb fynd yno. Mae'n lle drwg.'

'Ond pam?'

'Yr hanes. On'd y'ch chi wedi clywed bod gwallgofddyn wedi dod i fyw yno erstalwm? Credai fod ei gariad wedi mynd ar siwrnai i'r sêr ac wedi mynd ar goll yn y gofod. Bu farw o

dorcalon. Aeth y tŷ ar dân yn y diwedd, a dech-
reuodd pawb ffoi o'r pentre.'

Daeth gwendid dros gymalau Non. Roedd
Rob wedi dychwelyd i'r tŷ felly ac wedi byw
yno! Teimlai ei bod hi'n arnofio dros fyd lle na
allai gael troedle byth eto. Gwylio o'r tu allan
roedd hi heb ran na lle yn y byd hwn. Roedd y
gadwyn a'i clymai wedi'i thorri.

'Pa ffordd mae mynd yno?' gofynnodd hi'n
daer. Roedd y wraig wedi cynhyrfu gormod i
yngan gair.

'Pa ffordd, os gwelwch yn dda?'

Estynnodd y wraig ei llaw i fynegi'r cyfeiriad.

Diolchodd Non iddi am ateb ei chwestiynau.
Edrychodd y wraig arni mewn penbleth. Gallai
weld bod yr wybodaeth wedi effeithio arni'n
ddwys.

'Arhoswch funud!' meddai, fel roedd Non yn
cilio. 'Y'ch chi'n mo'yn help neu rywbeth?'
Ond roedd Non wedi ymdoddi i'r dorf unwaith
eto.

'Gyda phwy oeddet ti'n siarad nawr,
Martha?' Roedd ei gŵr yn sefyll yn ei hymyl.

'Rhyw wraig ifanc, Gideon. Roedd hi'n holi am Gwm-glas,' atebodd hithau gan synfyfyrio.

'Welais i mo'ni,' meddai ef. 'Oeddet ti'n 'i 'nabod?'

'Nac o'n. Roedd hi'n ddierth,' meddai'r wraig yn araf, heb dynnu ei llygaid o'r cyfeiriad lle'r aeth Non.

'Os oedd hi'n holi am Gwm-glas, mae'n well dweud wrthyn nhw.' Amneidiodd ei ben tua'r ddau ddyn a wisgai fentyll.

'Na. Mae'n well peidio.' Ni allai Martha ddweud pam yr oedd hi wedi ymateb fel hyn. Ni allai esbonio pam nad oedd hi am i'r ddau wybod am y ferch welw ei gwedd. Efallai oherwydd ei bod hi'n ymddangos mor eiddil. Roedd rhyw-beth yn ei chythryblu hi. Yn bendant.

Ond roedd yn rhy hwyr. Daeth y ddau ddyn draw.

'Oes rhywbeth yn bod?' gofynnodd un.

'Merch ddierth yn gofyn cwestiynau am Gwm-glas,' meddai Gideon ar ei ben. Wiw iddo geisio osgoi ateb y rhain.

Ni fradychodd wynebau'r ddau unrhyw adwaith i'r newydd hwn.

'Oedd ganddi farch?' gofynnodd un.

Edrychodd Gideon a Martha ar ei gilydd.

'Dim i ni sylwi,' meddai Gideon.

Trodd y ddau ŵr ar eu sodlau a dechrau ymgynghori â'i gilydd.

'Ydyn ni am ei dilyn hi'n awr ynteu'n nes ymlaen?' meddai un.

'Yn nes ymlaen. Mae digon o waith cadw llygad ar bethau yn y fan hon. Aiff hi ddim yn bell heb farch,' atebodd y llall. Amneidiodd i gyfeiriad lôn Cwm-glas.

*       *       *

Llamodd calon Dafydd wrth weld arwydd yn dwyn enw'r pentref ar ochr y lôn. 'Mae o yma o hyd,' meddai wrtho ei hun. 'Am nerth yn awr i wynebu beth bynnag y do' i o hyd iddo yma!'

Cerddodd Dafydd i lawr prif stryd y pentref. Synnai wrth weld y pafin o gerrig mân dan draed. Roedd y lôn yn llychlyd a rhigolau cerbydau wedi'i threulio'n ddrwg. Roedd y stryd gul yn glwstwr o siopau bach a'u toau trionglog blith draphlith fel hetiau gwrachod. Edrychodd Dafydd yn gegrwth ar yr adeiladwaith o lechi a phreniau a gwyngalch. Roedd hyd yn oed y gornel hon o Gymru wedi troi'n dalpiau sgwâr o goncrid unffurf cyn iddo ymadael. Yn awr roedd popeth wedi'i weddnewid neu wedi'i ddymchwel!

Roedd twr o bobl yn cyniwair yn y stryd, a phawb yn gwisgo brethyn cras. Arhosai rhai i sgwrsio â'i gilydd ar y gongl y tu allan i'r banc. Gwelodd Dafydd glerc yn ysgrifennu rhywbeth yn llafurus y tu ôl i'r cownter pren tywyll tra disgwyliai cwsmer ei dro yn amyneddgar. Doedd dim sôn am gyfrifiaduron nac offer eraill yno. Roedd pethau felly wedi eu cadw i'r Gwarchodwyr yn unig, mae'n debyg, lle bynnag yr oeddynt. Drws nesaf roedd siop y fferyllydd ac arwydd traddodiadol y fferyllydd yn sefyll yn y fynedfa, sef ffiol fawr o wydr porffor. Y tu mewn i'r siop roedd rhesi o sachau a phowlenni llawn pylor a chrisialau a gwelodd Dafydd y fferyllydd yn pwyso rhai ohonynt a chymysgu llwyeidiau i boteli bach. Gyferbyn â'r fferyllydd roedd siop canhwyllwr. Fel yr oedd gwyll yr hwyrddydd yn dwysáu, gwelodd Dafydd fod rhai canhwyllau wedi eu cynnau yn ffenestr fach y siop. Roedd eu smotiau o oleuni melyn, meddal yn denu cwsmeriaid. Aeth Dafydd i sefyll yng nghysgod y drws a gwylio'r perchennog yn trochi pabwyr yn y celwrn o wêr tawdd ac yn eu crogi'n rhes uwchben. Roedd rhai o'r canhwyllau yn y rhes yn barod am y trochiad nesaf ac roedd rhai gorffenedig yn hongian ar y pen, wedi cael sawl trochiad i'w gwneud yn ddigon tew. Clywodd Dafydd sŵn moch yn gwichian yn eu cwt yn iard gefn y siop. Dros y ffordd gweryrodd ceffyl wrth ddod i aros y tu allan i'r gweithdy haearn. Croesodd Dafydd i edrych drwy ffenestr fach y gweithdy a'i haen o we pryf cop. Bob hyn a hyn, llamai'r fflamau hylifol o'r tân oren a goleuo wynebau'r ddau ŵr a weithiai yno. Roedd gweddill yr olygfa'n dywyll.

Sylwodd Dafydd, er ei fraw, taw'r ffermwr a'i cododd ar y ffordd oedd yn disgyn o'r cerbyd ger y gweithdy a chafodd ei gyfarch gan grŵp bach o ddynion a merched a safai yno. Roeddynt yn trafod bargeinion y prynhawn a chynnwys eu basgedi gwiail. Siaradodd y ffermwr yn gyflym, gyda chryn effaith ar ei wrandawyr. Daeth ei eiriau i glustiau Dafydd.

'Roedd yn brofiad annaturiol, ffrindiau,' meddai. 'Un eiliad roedd e yno'n eistedd wrth f'ymyl a'r eiliad nesaf roedd e wedi diflannu'n llwyr!'

'Efallai eich bod yn dychmygu pethau, John Ifans,' awgrymodd un o'r gwragedd.

'Mae'r ffordd yn unig,' meddai un arall. 'Does dim posib bod neb yn cerdded ar hyd y ffordd yr adeg yna o'r dydd!'

'Syrthio i gysgu a breuddwydio'r cwbl wnaethoch chi—dyna'r eglurhad,' meddai un o'r dynion.

'Ar fy llw!' protestiodd John Ifans. 'Mi welais i rywun a rhoddais gludiant iddo, cyn wired â phader.'

'Sut un oedd e?'

'Roedd e'n ifanc ac yn gwisgo dillad coeth iawn, fel y bydden nhw'n gwisgo erstalwm.'

'Roedd lliw yr awyr yn annaearol y bore 'ma,' meddai'r wraig gyntaf yn ofnus. 'Fe all pob math o bethau od fod ar led.'

'Gwaith y gŵr drwg, yn drysu dy syn-hwyrau! Bydd yn ofalus, John Ifans,' rhybuddiodd dyn arall. 'Gwell peidio â theithio ar dy ben dy hun 'to.'

Teimlai Dafydd yn ddig iawn. Dymunai ei gyflwyno ei hun iddynt a dweud:

''Drychwch, dyma fi, yr un rydach chi'n sôn amdano. Does dim byd drwg nac od amdana i!' Ond dywedai llais bach yn ei feddwl y byddai'n beth peryglus i'w wneud. Gwell peidio â siarad gormod â neb.

Daeth darn o garreg yn rhydd lle pwysai Dafydd ei law a syrthiodd y darn i'r llawr. Sythodd y ffermwr ac edrychodd dros bennau'r lleill i gyfeiriad Dafydd. Cyfarfu eu llygaid am ennyd arswydus. Gwelwodd y dyn.

'Dyna fe!' meddai'n gryg. 'Rwyf wedi'i weld e 'to!'

Trodd y bobl eu golygon i'r fan lle'r oedd ei fys yn pwyntio.

'Does neb yno'n awr,' meddai un o'r grŵp.

'Ar ei ôl e!' bloeddiodd y ffermwr, a chymryd cam ymlaen. Roedd y lleill ar fin ei ddilyn ond fe'u hataliwyd gan un o'u cyfeillion.

'Rhag eich c'wilydd, ffrindiau,' meddai, 'yn rhedeg ar ôl cysgodion!'

Penderfynodd y ffermwr taw doethach fyddai ildio.

Ffodd Dafydd o'r fan. Teimlai ei galon yn curo fel adenydd colomen mewn magl. Pan ddaeth ato'i hun, sylweddolodd ei fod ar bwys siop y pobydd. Daeth aroglau da y bara i'w ffroenau a chodi archwaeth arno. Cipiodd dorth newydd ei chrasu oddi ar silff yn agos at y drws tra oedd y pobydd yn estyn un arall o'r ffwrn anferth â sbatwla hir. Tybiai Dafydd, fel dyn mewn breuddwyd, fod blas da ar y bara. Ond hyd y gwelai'r pobydd, pan droes yn ôl, doedd dim ar goll.

Nid oedd yn anodd sleifio heibio i glystyrau o bentrefwyr yn awr gan ei bod hi'n nosi'n gyflym. Roedd y siopwyr yn dechrau cloi a winciai goleuadau egwan yn y ffenestri.

*     *     *

Roedd y ffordd yn unig fel lôn trwy'r paith. Synnai Non fod cyn lleied o dai i'w gweld ar y llethrau. Nid oedd neb yn dod i gwrdd â hi nac yn ei goddiweddyd ar ei thaith. Cofiai fel y byddai'n hiraethu am lonyddwch y bryniau pan oedd hi'n fyfyrwraig ifanc a phroblem ar ei meddwl. Mor aml yr oedd rhywun wedi dod i darfu arni tra cerddai'r llwybrau hyn! Dro arall, byddai'n siŵr o ddod ar draws sbwriel a hagrai'r olygfa. Nid oedd dim oll o'r fath yn awr, a bron na ddymunai hi weld pobl ac arwyddion o weithgarwch dynol unwaith eto. Waeth iddi fod ar blaned arall, ddim!

Gwelodd yr adfeilion o ben y bryn. Pentref a fu unwaith yn byrlymu â bywyd yn bentwr o gerrig bellach. Roedd y siopau a'r caffis i'r ymwelwyr wedi diflannu, a dim ond olion—llinellau syth, fel mewn tref Rufeinig—i ddangos lle buont yn sefyll. Nid oedd dim ar ôl o'r fferm na'r gweithdy crefftau. Nid oedd cwch yn symud ar y llyn gerllaw na merlod ar y mynydd. Roedd brwyn wedi tagu'r llyn a'i wneud yn ferddwr. Gorweddai o'i blaen yn ddisymud fel hen haen o fetel diwerth. Gallai ganfod safle ei chartref. Rhuthrodd i lawr yr allt i gyffwrdd â'r hyn oedd yn weddill. Torrid ar y tawelwch gan dician neu grawcian pryfed yn y glaswellt hir, bob hyn a hyn, wedi cael eu haflonyddu gan bwysau ei thraed.

Eisteddodd Non yn y gragen a fu'n gartref iddi. Roedd tyllau'r ffenestri'n syllu arni fel socedau llygaid mewn penglog. Eisteddodd gan wylo. Pan ddechreuodd nosi, daeth yn ymwybodol o sŵn fel injan car! Cododd yn gyflym a bu bron â hedfan i'r gongl o fewn y waliau lle gobeithiai na fyddai hi'n cael ei gweld. Trwy fynedfa'r adeilad, lle bu drws y ffrynt erstalwm, gwelodd ddau ddyn mewn mentyll llaes. Y Gwarchodwyr! Petrusodd y ddau ar y trothwy fel petai ofn arnynt ddod i mewn.

'Dowch allan, pwy bynnag sydd yna!' gwaeddodd un.

Roedd Non yn brwydro am ei hanadl ac yn ei gwasgu ei hun ymhellach i'r cysgodion. Ofnai y byddent yn ei chlywed, hyd yn oed os na welent mohoni.

'Rwy'n gweld ffurf merch yn erbyn wal, yn fan'cw,' meddai un ohonynt eto.

'Wela i ddim byd,' meddai'r llall. 'Mae goleuni'r cyfnos yn dwyllodrus iawn.'

'On'd wyt ti'n ymwybodol o bresenoldeb yma?' Gafaelodd yn dynn yn ei gydymaith.

'Mae dychymyg rhywun yn porthi ar gysylltiadau'r lle,' oedd ateb rhesymegol y llall. Fflachiai ei dorts o gwmpas a symudodd Non i fwlch lle bu drws unwaith rhag i'r pelydrau syrthio arni. 'Dere 'mlaen i archwilio'r lle. Does dim byd i'w ofni.'

'Gobeithio dy fod ti'n iawn, wir.' Nid oedd ei gydymaith yn swnio mor sicr.

'Rwy'n cyfaddef nad dyma'r lle mwya dymunol i dreulio gyda'r nos,' meddai'r llall wrth iddynt fynd o fewn trwch blewyn i'w chuddfan. 'Fe awn ni. Siwrnai seithug, mae arna i ofn. Go brin y byddai neb yn gallu cyrraedd mor bell, heb farch.'

Ymadawsant â'r adeilad yn bwyllog.

'Llawn cystal nad yw'r bobl yn cael dod yma, neu fe fyddai hen helynt gyda nhw, yn codi bwganod ac yn gofyn cwestiynau.' Clywodd Non y geiriau, er eu bod yn bell o'r golwg erbyn hyn. Daeth dagrau o ollyngdod i'w llygaid ond crynai ei holl gorff. Rhyfedd eu bod yn teimlo'r fath ofn a hithau'n ddim ond merch ddiymgel-edd!

Wedi clywed injan eu car yn cychwyn, daeth

o'i chuddfan a dechrau ar ei thaith hir yn ôl at y llong oedd yn gartref iddi ar y traeth.

*　　　*　　　*

Penderfynodd Dafydd anelu at ei hen gartref a safai ar gyrion y pentref a disgwyl y tu allan tan hwyr y nos. Brysiodd er mwyn cael gweld amlinell y tŷ cyn colli golau'r dydd yn llwyr. Daeth y rhes o siopau i ben ac yn awr roedd y meysydd a'r mynyddoedd yn ymestyn o'i flaen, wedi eu haddurno yma a thraw gan fwthyn bugail neu ffermdy. A dyna lle'r oedd y tŷ yn sefyll ar ei ben ei hun ar lethr y mynydd agosaf. Roedd tyfiant newydd o boplys du'n amgylchynu'r ardd fel yn yr hen ddyddiau, ond nid mor drwchus, a'r muriau gwyn yn gloywi yn y gwyll fel cynt, er nad mor wyn ag erstalwm. Roedd mwg yn dringo'n hamddenol o'r corn ar ochr y to llechi. Wrth graffu, gallai Dafydd weld bod y palisâd bach addurniadol o flaen ffenestri'r llofftydd yno o hyd. Roedd y grisiau cerrig yno hefyd a'r colofnau a arweiniai at ddrws y ffrynt. Llamodd calon Dafydd. Nid oedd popeth wedi diflannu! Roedd rhai pethau yn dal i aros o oes i oes! Pwy oedd yn byw yno'n awr, tybed? Gallai Dafydd synhwyro wrth edrych arno ei fod yn gartref hapus. Roedd y tŷ, fel ei amgylchfyd, yn ddedwydd.

Bu Dafydd yn oedi ac yn ymdroi yn ymyl y clawdd a redai o gwmpas y meysydd nes i'r lleuad godi'n uchel yn yr awyr ac arolygu ei theyrnas rhwng stribedi o gwmwl a changhennau'r coed. Edrychai ef i fyny i'r sêr bob hyn a hyn, y Sireniaid pell a demtiai deithwyr â'u disgleirdeb, heb ddatgelu eu cyfrinachau byth. Yna symudodd tua'r tŷ. Aeth yn ysgafndroed i fyny'r grisiau cerrig. Roedd drws y ffrynt wedi ei gloi, ac yn lle ceisio torri'r clo, cerddodd i ochr y tŷ lle gwyddai fod y ffenestri'n cyrraedd y llawr. Efallai y byddai'n haws agor un o'r rheini. Nid oedd yn amau na fyddai'r ffenestri yno, yr un fath ag erioed. Ac yr oedd yn gywir. Roedd clicied un ohonynt yn rhydd ac fe'i hagorodd yn hawdd, heb sŵn.

Roedd llenni mawr melfed wedi eu tynnu ar draws y ffenestr ac ymguddiodd Dafydd y tu ôl iddynt am ennyd, a'i galon yn pwyo. Roedd golau pŵl yn tarddu o rywle yn yr ystafell a gallai Dafydd glywed lleisiau yn dod o'r un fan.

105

Lleisiau merched oeddynt. Mentrodd gymryd cipolwg drwy agen yn y llenni. Er ei syndod roedd yn cofio nifer o gelfi yn yr ystafell fawr, hirsgwar. Y bwrdd hir pren o'r un lliw â gwin tywyll, y cadeiriau tal, y llawr pren caboledig wedi'i orchuddio yn y canol â'r un carped o hyd. Cofiai'r patrwm arno o flodau a dail. Syllai arno mor aml pan oedd yn fachgen erstalwm. Yr unig wahaniaeth oedd ei fod wedi breuo ac wedi colli peth o'i liw. Teimlodd Dafydd ei lygaid yn llenwi â dagrau o lawenydd wrth edrych ar hyn i gyd. Yn y gongl bellaf, o fewn cylch goleuni'r ganhwyllbren, eisteddai gwraig ifanc a merch fach ar ei glin. Roedd hi'n dal llyfr yn un llaw ac yn darllen stori amser gwely.

'"Bob bore gyda'r wawr, fe âi hi i ben y mynydd ac edrych i'r pellter gan obeithio gweld ei chariad yn dod yn ôl ac yna fe âi pan oedd yr haul yn uchel yn yr awyr a phan fyddai'n fachlud hefyd, ond yn ofer. Aeth y blynyddoedd heibio . Nid oedd hi'n ifanc nac yn brydferth yn awr. Anghofiodd pawb ond hi amdano. O'r diwedd bu farw heb ei weld a chladdwyd hi yn ymyl y lle y diflannodd ef".'

'Beth oedd wedi digwydd iddo, Mam?' gofynnodd y ferch fach.

'Rydyn ni yn cyrraedd y rhan yna'n awr,' atebodd ei mam. 'Gwranda! ''Ar ôl iddo ganu'n iach i'w gariad pan oedd yn ifanc, fe gafodd ei ddwyn gan y tylwyth teg ac fe aethant ag ef i wlad bell. Ac ar ôl ychydig ddyddiau difyr a rhyfeddol yn eu cwmni dechreuodd hiraethu am ei gariad. Rhoddodd brenin y tylwyth teg ganiatâd iddo fynd yn ôl. Ond wrth iddo ddod i'w fyd ei hun eto roedd popeth yn ddieithr iddo. Nid adnabu ef neb na dim yn ei fro ei hun. Cafodd groeso gan y bobl oedd yn byw yn ei hen gartref, ond druan ohono, pan gyffyrddodd y perchennog ag ef fe drodd yn bentwr o lwch o flaen llygaid pawb! Mor hen oedd e mewn gwir-ionedd. Nid oes ystyr i amser yng ngwlad y tylwyth teg, ac yn lle dyddiau, roedd wedi treulio oes dyn gyda hwy''.'

'Am stori drist, Mam!' meddai'r fechan. 'Ydy hi'n stori wir?'

'Mae pethau tebyg yn digwydd, yn ôl rhai pobl,' meddai ei mam yn dyner. 'Pethau anesboniadwy. Mae'n well inni beidio â holi gormod yn eu cylch.'

'Fel stori Nain?' gofynnodd y ferch. 'Roedd ei mam hi fel y ferch yn y stori yn disgwyl a disgwyl i'w chariad i ddod yn ôl.'

'Mae Nain ar fai am fwydro dy ben â straeon fel'na,' oedd ateb ei mam. Ond ni swniai'n flin o gwbl. Mwythai wallt· hir tywyll ei merch. 'Ro'n innau'n arfer eu clywed nhw hefyd pan o'n i'n fach.'

'Ond mae Nain yn coelio'r stori. Roedd ei mam hi wedi'i dweud wrthi drosodd a throsodd. Roedd e wedi mynd ar siwrnai i'r sêr, ac yna cafodd Nain ei geni ond welodd o mohoni, ei ferch fach ei hun a . . .'

Rhoddodd y fam ei bys yn ysgafn ar wefusau'r ferch fach.

'Fe ddigwyddodd, os digwyddodd e o gwbl, amser maith yn ôl. Mae'n ddirgelwch mawr ac mae pawb eisiau anghofio amdano.'

'Pam dwy ddim yn cael sôn amdano? Pam mae pawb eisiau anghofio amdano?'

'Nid ein rhan ni yw holi am bethau felly.'

'Rhan pwy, felly?'

'Y Gwarchodwyr, falle. Nhw sy'n gwybod am bethau y mae'n well eu cadw rhagon ni. Nhw sy'n gwybod orau, ac yn gofalu amdanon ni. Rhaid ymddiried ynddyn nhw.'

Prin iawn y gallai Dafydd ymatal rhag torri i wylo.

'Amser gwely rŵan, Lisa.'

Lisa oedd ei henw hithau'r ferch fach! Ni fynnent dorri pob cysylltiad â'r gorffennol felly, er gwaetha'r pwysau arnynt i wneud hynny. Lisa! Ei Lisa ef! Roedd hi wedi marw o henaint ac yntau'n ddyn ifanc o hyd. Gwyddai'n awr fod Lisa wedi cael merch fach, ei ferch fach o, tra oedd o yn bell i ffwrdd yn y gofod.

Ac roedd plentyn ei chroth, eu merch nhw, yn hen wraig bellach. A dyma ei wyres, yn eistedd yn yr ystafell hon o flaen ei lygaid ac yn darllen stori i'w merch hithau!

Roedd ei chwilfrydedd wedi ei arwain i'r pen. Gwyddai'r cwbl yn awr. Buasai'n hiraethu am wybod, beth bynnag y gost. Ac roedd y gost yn enfawr.

'Mam!' meddai'r ferch fach yn sydyn. 'Mae rhywbeth yn symud y tu ôl i'r llenni.'

Edrychodd ei mam i fyny. Daliodd Dafydd ei anadl. Daeth syniad erchyll i'w feddwl. Beth petaent yn ei ddarganfod, petaent yn trio cyffwrdd ag ef? Bron na chredai y byddai'n diflannu fel y gŵr ifanc yn y stori.

'Na, meddwl wyt ti, cariad. Dim ond y gwynt sydd yn dod trwy grac yn y ffenestr.'

Bu saib tra gwrandawent. Cleciodd styllen yn y llawr ger traed Dafydd ac edrychodd y ddwy yn ofnus ar ei gilydd.

'Beth oedd hynna?' gofynnodd Lisa.

'Un o'r preniau'n symud. Maen nhw'n gwneud sŵn fel'na o bryd i'w gilydd.'

'Rwy'n teimlo bod rhywun yn y tŷ. Efallai bod Dad yn ôl.'

'Na, rwyt ti'n camgymryd, Lisa. Dydy Dad ddim yn dod yn ôl am rai dyddiau eto. Paid â dychmygu pethau'n awr. Mae'n hen bryd iti fod yn dy wely.'

Cododd y wraig a thywys Lisa gerfydd ei llaw at y drws derw a agorai i'r neuadd. Anadlodd Dafydd yn rhydd eto. Gallai weld yr olygfa yn llygad ei feddwl: y tro yn y canllaw crand ar waelod y grisiau eang; y ffenestr gron ar ben y

110

grisiau a'r llestr llawn blodau'r ardd; ac yn lle ei fam ac yntau, dyma ddwy genhedlaeth heb eu geni, heb ddychmygu amdanynt, yn esgyn y grisiau. Roedd awydd arno edrych yn agosach ar y ferch fach cyn mynd, gweld ei hwyneb a rhoi ei fendith arni mewn rhyw ffordd. Ni fyddai ei daith yn gyflawn heb wneud hynny. Gwibiodd ar draws yr ystafell ac i'r neuadd. Fel yr oedd yn dringo'r grisiau croesodd y wraig ei lwybr ar ei ffordd i lawr. Teimlai awydd llethol i afael yn ei dwylo ac edrych i'w llygaid ond ni feiddiai. P'run bynnag, nid oedd hi wedi sylwi arno'n ei wasgu ei hun yn erbyn y wal. Roedd golau'r gannwyll a gariai hi'n wan ac roedd hi wedi ymgolli yn ei meddyliau ei hun.

Disgwyliodd ar y landin nes i'r ferch fach gysgu. Ychydig iawn o newid oedd yma ers yr hen ddyddiau. Cafodd gipolwg sydyn arno'i hun yn y drych hir a hongiai yn yr un lle ag o'r blaen. Tywynnai'r lloer arno o'r ffenestr gan wneud ei adlewyrchiad yn llwyd ac yn dryloyw. Ar ôl peth amser, aeth ar flaenau ei draed i chwilio am lofft y ferch fach. Agorodd ddrws pob un o'r hen lofftydd oedd yn gyfarwydd iddo. Roedd ei wynt yn ei ddwrn rhag ofn y byddai gwich neu glec i'w glywed. O'r diwedd daeth o hyd i'r ystafell a llithrodd i mewn yn ddistaw. Symudodd mor ysgafn ag awel at erchwyn y gwely lle'r oedd hi'n cysgu. Anadlai'n ddwfn a rheolaidd. Edrychai ei hwyneb bach crwn fel cameo yn y gwyll. Crwydrai ei llygaid o dan yr amrannau mewn byd o freuddwydion. Yn sydyn, fe'u hagorodd ac edrychodd ar ffurf aneglur Dafydd. Nid oedd ofn arni.

'Dad?' meddai. 'Mae'n dda gen i eich bod chi wedi dod yn ôl.'

Gwenodd Dafydd. 'Dos i gysgu,' sibrydodd.

Caeodd ei llygaid a dechrau parablu am y stori a ddarllenodd ei mam iddi. Clywodd Dafydd gamre ar ben y grisiau a chiliodd yn gyflym i'r cysgodion y tu ôl i'r drws. Ymddangosodd y wraig ifanc a chorongylch y gannwyll o'i blaen.

'Beth sy'n bod, Lisa?' gofynnodd.

'Mae Dad wedi dod adre.'

'Nac ydy, cariad. Ddaw o ddim am rai dyddiau, fel y dywedais i.'

'Ond roedd o yn yr ystafell, yn siarad â mi.'

112

'Does dim posib.'

Yna cododd Lisa ar ei heistedd ac estyn ei braich yn syth allan.

'Dyna fo wrth y drws!'

Trodd ei mam. Tynhaodd Dafydd ei hun yn erbyn y drws.

'Mae ar ben arna i!' meddyliodd. Ond er ei syndod, ni welodd y wraig mohono. Trodd yn ôl at y ferch.

'Breuddwydio rwyt ti, cariad.' Plygodd y gwrthban yn ôl yn dwt. 'Paid â chodi o dy wely eto a mynd i grwydro'r llofftydd.'

'Ond Mam, wnes i ddim.'

'Mae'n rhaid bod un o'r drysau'n symud yn y gwynt, felly,' meddai ei mam, gan anwesu ei thalcen. 'Gorwedda di'n dawel ac mi fydda' i gyda ti yn y man.'

O'r gongl dywyll rhwng y drws a'r wal, edrychai Dafydd yn drist arni'n gadael yr ystafell. Roedd e'n perthyn i'r tŷ hwn ac i'r teulu hwn ond ni châi fod yn rhan ohonynt byth eto. Pan oedd popeth yn dawel, cerddodd allan o'r tŷ i awyr oer y nos.

*     *     *

113

Pan gyrhaeddodd Non y llong roedd pob man yn wag. Doedd dim siw na miw yn unman uwch si parhaus y môr. Nid oedd disgwyl i Dafydd fod yn ôl eto ond poenai am Mathew. Nid oedd ef wedi bwriadu mynd yn bell, ond yn hytrach aros yn y llong a cheisio datrys eu problemau trwy rym ei feddwl miniog. Efallai ei fod wedi mynd am dro. Gobeithiai Non taw dyna'r esboniad dros ei absenoldeb. Roedd y tri ohonynt mor agored i bob perygl. Pa amddiffyniad oedd ganddynt yn erbyn malais neu elyniaeth neu hyd yn oed ofn syml a allai yrru'r pentrefwyr i ymosod arnynt? Doedd neb byw yn eu hadnabod nac yn cofio amdanynt, meddyliai'n drist. Edrychodd drwy'r ffenestr fach, gron ar y traeth yn ymestyn yn ddi-dor at y creigiau a ymffurfiai'n gaer naturiol. Roeddynt yn cyfateb i'r rhai a ddiogelai'r llong ofod yn eu cysgod. Roedd y tywod yn soled a gwastad fel colofn o farmor yn gorwedd ar ei hyd dan olau'r lleuad. Nid oedd ôl troed i'w weld yn unman. Hongiai cymylau porffor, ysgithrog fel creigiau yn yr awyr. Ble'r oedd Mathew? Aeth oriau mân y bore heibio'n araf, araf, ac roedd Non yn hepian cysgu.

114

# PENNOD V

Roedd hi'n hwyr pan benderfynodd Elspeth y siopwraig roi'r gorau i'r cyfrifon a mynd i glwydo. Roedd pob clec i'w chlywed yn y tŷ yr adeg honno o'r nos. Ni chymerai fawr o sylw ohonynt, fel rheol. Ond heno, roedd y synau'n wahanol. Roeddynt yn llawn bwriad, fel rhywun yn llusgo sach ar draws y llawr. Crwydrai ei llygaid i geisio lleoli'r sŵn. Ar ôl sbel fel hyn, cododd y procer a brasgamodd at y drws rhwng y parlwr a'r siop. Byddai wynebu pwy bynnag oedd yno'n llai arteithiol na gwrando ar ei sŵn. Ond dyna lle'r oedd hi'n camgymryd. Pan gyrhaeddodd hi'r siop, ni allai gredu ei llygaid. Roedd y nwyddau'n symud o'u bodd eu hunain: matsys o'r silff isaf yn disgyn yn raddol ac yn diflannu cyn cyrraedd y llawr; y llusern fwyaf o'r silff uchaf yn camu dros yr ymyl a hofran yn yr awyr heb gwympo; ymenyn a chaws yn codi oddi ar y cownter ac yn hofran uwch sach oedd yn symud ar hyd y llawr fel rhywbeth byw. Cuddiodd ei llygaid â'i llaw am ennyd. Oedd hi wedi bod yn gorweithio? Oedd hi'n cael ei chosbi am boeni cymaint am ei heiddo? Beth oedd yn ei gwawdio fel hyn? Cyn iddi allu ei hatal ei hun, gwaeddodd ar beth bynnag oedd yna a daliodd y procer allan fel cleddyfwr. Ar hyn, peidiodd y symudiadau, fel petai rhywun yn petruso dros y cam nesaf. Meddyliodd Elspeth fod ei moment olaf wedi cyrraedd. Ond cilio a wnaeth y grym annaturiol gyda chamre ysgafn trwy ddrws agored y siop i'r heol.

*     *     *

Deffrowyd y tafarnwr gan sŵn curo ar y drws cefn. Cododd o'i wely a chynnau cannwyll. Roedd hi'n hanner nos yn ôl y cloc mawr pren, awr pryd y digwyddai pethau rhyfedd gan amlaf.

'Daliwch eich gafael!' meddai'n flin gan wisgo amdano. 'Rwy'n eich clywed yn iawn. Rwyf ar fy ffordd!' Rhinciai ei ddannedd yn yr oerfel.

Aeth i lawr y grisiau a brysiodd drwy'r parlwr lle'r oedd y ffermwyr lleol wedi bod yn eistedd ac yn ysmygu ychydig oriau ynghynt.

Roedd aroglau cryf mwg a diod yn aros yn yr ystafell. Roedd hi'n dal yn gynnes yno a'r lludw'n mudlosgi yn y grât fawr. Deuai'r cnocio'n fwy taer wrth iddo groesi'r gegin. Llithrodd y bolltau'n ôl ac agor y drws i'w gymdoges, Elspeth.

'Jac!' meddai. 'Diolch byth eich bod chi wedi ateb! Mae pethau erchyll wedi bod yn digwydd yn y siop. Ro'n i bron â marw o ddychryn.'

'Tewch, Elspeth!' meddai Jac. 'Dewch i mewn. Pa fath o bethau? Ro'n i'n meddwl 'mod i mewn helynt gyda'r Gwarchodwyr pan glywais y cnocio ar y drws.'

'Does dim amser i'w golli,' meddai Elspeth gan gamu dros y trothwy. 'Falle ei fod e'n dal o gwmpas y lle. Sleifiais i mâs ar y cyfle cyntaf.'

'Falle fod pwy'n dal o gwmpas?'

Ysgydwodd Elspeth ei phen. 'Dyna'r drwg, Jac. Alla i ddim dweud pwy na beth sydd yno.'

Rhoddodd Jac y tafarnwr wydraid o wirod iddi. Cymerodd hi lwnc da, gan geisio rheoli ei llaw a'i gwefusau. Sylwodd ef am y tro cyntaf ei bod hi'n dechrau edrych yn hen. Roedd crychau o flinder o gwmpas ei llygaid ac roedd ei gwallt yn dechrau britho bob ochr i'w hwyneb. Gwisgai ffedog o flaen ei ffrog frown wlanen o hyd, fel petai'n ganol dydd. Dywedodd ei stori'n gryno. Ceryddodd Jac hi pan glywodd ei bod hi wedi mentro i'r siop ar ei phen ei hun heb 'mofyn help yn gyntaf.

'Roeddech chi'n mynd i berygl, Elspeth,' meddai.

'Wnes i ddim aros i feddwl. Allwn i ddim dal dim mwy! O, Jac, be sy'n digwydd yma?'

Fflachiai delweddau trwy feddwl Jac o ddigwyddiadau od y noson cynt.

'Y'ch chi'n meddwl bod a wnelo hyn â'r busnes neithiwr, pan oedd Helen yn mynnu ei bod hi wedi gweld rhywbeth ar y traeth?' Roedd Elspeth yn darllen meddyliau'r tafarnwr. 'Ac mae Jonathan druan yn wael ddifrifol o hyd, ar ôl cael y profiad drwg yna.'

Ni wyddai Elspeth am ymweliad y tri dieithryn â'r dafarn ac ni fynnai Jac sôn wrthi am hynny, 'chwaith. Roedd wedi cymryd arno dderbyn gair ei ffrindiau pan ddywedasant nad oedd neb arall wedi bod yno, gan obeithio na feddylient ei fod yn colli ei bwyll. Yn awr dewisodd ei eiriau'n ofalus iawn:

'Rwy'n amau bod rhywun neu rywbeth yn ceisio ymyrryd ym mywyd ein pentre bach ni. Un peth sy'n sicr—dyw hi ddim yn argoeli'n dda.'

'Gwaith y gŵr drwg!' meddai Elspeth bron yn anhyglyw.

'Wna i ddim dweud dim mwy,' meddai Jac. 'Gadewch inni fynd i'r siop i weld beth sy'n digwydd.'

'Mae'n hala ofn arna i,' meddai Elspeth.

'Peidiwch â bod ofn, chwaer. Fe drefnwn ni barti o bentrefwyr fel neithiwr i chwilio am y cnafon.'

Brysiodd y ddau yn ôl i'r siop ac agor y drws led y pen. Roedd pobman yn ddistaw. Doedd dim byd ond pryf copyn bach yn cropian dros y llawr teils du a gwyn fel darn ar fwrdd gwydd-bwyll. Roedd y nwyddau yno mewn rhesi twt, talp o ymenyn yn ei gâs gwydr crwn a'r cosynnau hefyd. Disgleiriai'r cloriannau efydd ar y cownter pren.

'Oes arian wedi'i ddwyn o'r til?' gofynnodd
Jac.

Agorodd Elspeth y drôr yn ofnus. 'Nac oes,
dim,' meddai.

'Wel does neb yma'n awr,' meddai Jac yn
bendant.

'O Jac, dy'ch chi ddim yn f'amau i,
gobeithio?'

Edrychodd Jac i fyw ei llygaid. 'Dwy ddim yn
eich amau o gwbl, Elspeth,' meddai.

Roedd golau wedi ymddangos yn y bwthyn
gerllaw a daeth un o'r brodorion a fu yn y dafarn
i'r golwg.

'Helynt eto, Jac?' gofynnodd.

'Mae rhywun wedi torri i mewn i siop
Elspeth. Rhywun sy'n gallu gwneud hud a
lledrith.' Ychwanegodd Jac y frawddeg olaf yn
araf ac yn ddifrifol.

Safent ar y lôn a chraffu i'r fan lle'r oedd y
clogwyni'n creu gorwel aneglur, crwm, yng
ngolau'r lleuad. Roedd brath yn yr awyr. Yn
sydyn sylwodd y dyn ar rywbeth yn y pellter.

'Welwch chi'r golau yna'n siglo o ochr i ochr
fel cannwyll gorff?'

'Ar ei ôl e!' gorchmynnodd y tafarnwr. 'A galw ar y lleill ar y ffordd.'

Daeth y parti o bentrefwyr allan i'r nos am yr ail noson yn olynol. A'r tro hwn roeddynt yn cymryd rhan mewn helfa, yn cael eu hyrddio ymlaen gan hen deimladau cyntefig, cynoesol.

*　　*　　*

Ychydig cyn toriad y wawr clywodd Non ddrws y llong yn cau'n glep a cherddodd Mathew i mewn. Roedd yn amlwg wedi'i gynhyrfu.

'Mathew!' ebychodd Non. 'Beth sy'n bod?'

'Rwy newydd gael dihangfa wyrthiol,' meddai, 'a hynny am yr ail dro heddi.' Suddodd i glustog fawr ar y llawr. Rhoddodd ei law ar ei dalcen a'i rwbio. Ni allai fod yn llonydd.

'Beth sydd wedi digwydd?' gofynnodd Non.

'Dwed ti wrtho i,' atebodd Mathew yn chwerw. 'Be sy ar bawb, Non?'

Ysgydwodd Non ei phen. 'Dechrau o'r dechrau,' meddai hi'n amyneddgar.

'Cym'ra'r bore 'ma, er enghraifft,' meddai Mathew. 'Ar ôl deffro a gweld dy nodyn, fe benderfynais fynd i chwilio am y teleffon yn y pentre arall. Wyt ti'n cofio'r tafarnwr yn sôn amdano?' Nid arhosodd am ateb. 'Wel, mae'n lle tebyg iawn i bentre Llansaint. Mae Swyddfa Bost henffasiwn iawn yno. Pan nad oedd neb arall o gwmpas es i mewn a gofyn i'r Bostfeistres am gael defnyddio'r teleffon. Roedd hi eisiau gwybod pwy o'n i'n moyn 'i alw, fel 'tae hynny'n fusnes iddi hi! A phan ddwedais i'r ''Llywodraeth'', aeth hi'n welw i gyd. Roedd hi wedi bod yn edrych yn rhyfedd arna i ers meitin, cofia. Yn ofnus, ddwedwn i. Yn cadw digon o bellter rhyngom. ''Mae hynny'n amhosib,'' meddai. ''Gwell ichi 'madael nawr, syr.'' Meddylia! Newydd gyrraedd o'n i. Am groeso, yntefe?'

'Be wnest ti?' gofynnodd Non.

'Be allwn i wneud ond troi ar fy sawdl ar unwaith? A chyn bo hir, sylweddolais fod dau gymeriad yn 'y nilyn i. Llwyddais i'w taflu nhw oddi ar 'y nhrywydd. Dyn a ŵyr beth fyddai wedi digwydd i mi petaen nhw wedi 'nal. Roedd golwg y cythraul arnyn nhw!'

'Fe gest ti waredigaeth!'

'Do, wir. Swatiais yma am rai oriau wedyn.

122

Alla i ddim dweud faint. Ro'n i'n ceisio gwneud synnwyr o bopeth sy wedi digwydd. Gwawriodd un peth arna i, Non, oedd yn ddychryn ac yn llawenydd i mi ar yr un pryd, ond mwy am hynny'n nes ymlaen. Yna, cofiais yn sydyn nad oedd gennyn ni ddim adnoddau byw o gwbl a dim arian i'w prynu, 'chwaith. A neb yn barod i wrando arnon ni. Wel, dyma fi'n penderfynu ar yr unig ffordd o gael cyflenwad o'r pethau ry'n ni'u hangen.'

'Eu dwyn o rywle,' meddai Non yn araf.

'Ie, mae arna i ofn. Pan oedd hi wedi nosi, es i'r pentre. Lampau'r dafarn oedd yr unig rai ynghyn o hyd ac roedden nhw'n goleuo siop fach henffasiwn dros y ffordd. Roedd bwydydd i'w gweld yn y ffenestr a phenderfynais dorri i mewn. Ro'n i'n teimlo'n flin am hyn ond pa ddewis arall oedd gen i?'

'Fe wnest ti'n iawn o dan yr amgylchiadau,' meddai Non, 'ond mae'n debyg fod pethau wedi mynd o chwith unwaith yr oeddet ti yn y siop?'

Amneidiodd Mathew. 'Y rhan hawsaf oedd agor y drws. Roedd pobman yn ddistaw ac fe ges i gyfle i weld beth oedd yno. Codais sach wag oedd wrth ymyl y cownter i'w llenwi â bara a chig moch, poteli o ddiod ac ati. Wedyn estynnais am y matsys a llusern olew oddi ar y silffoedd. Popeth yn iawn, hyd yn hyn. Ond fel yr o'n i'n helpu fy hun i fenyn a chaws, fe glywais lais y tu cefn i mi. A dyna lle'r oedd menyw'n sefyll. ''Rwy'n gwybod bod rhywun yna,'' meddai. ''Dangoswch eich hun, er mwyn Duw!'' Ceisiais siarad ond allwn i ddim yngan gair mwy na phetawn i wedi bod mewn breuddwyd. Anghofia i byth mo'r arswyd yn ei llygaid. Gafaelodd yn y cownter i'w sadio ei hun ac roedd hi'n edrych o gwmpas yn orffwyll. Ac er 'mod i o fewn lled braich iddi, Non, sylwodd hi ddim arna i! Wyt ti ddim yn meddwl bod hynny'n anhygoel? Roedd gen i biti drosti, wir. Dechreuodd hi sgrechian ac fe redais o'r siop nerth 'y nhraed ac i lawr y llwybr heb aros dim. Pan gyrhaeddais y rhostir a'r clogwyni, clywais sŵn lleisiau. Roedd grŵp o bobl yn rhedeg ar fy ôl! Rhedais o lwyn i lwyn ac ymguddio bob hyn a hyn nes yn y diwedd, swatio mewn ceudod tan

124

nawr. Roedd rhywun ar wyliadwriaeth drwy'r nos, mae'n siŵr gen i.'

'Yr un bobl a ddaeth i ysbïo arnon ni y noson o'r blaen?' meddai Non.

'Mae'n debyg. Sut wyt ti'n dehongli hyn i gyd, Non?' Swniai Mathew yn ddigalon iawn ac yn annhebyg iddo ef ei hun.

Bu Non yn ddistaw am ennyd. Roedd y sefyllfa'n ormod iddi. 'Alla i ddim,' meddai'n ddifrifol. 'Y cwbl alla i 'i ddweud yw bod rhywbeth anhygoel wedi digwydd.—Ry'n ni wedi glanio'n ôl y tu allan i'n hamser ein hunain, fel roedden ni'n amau. Tua chanrif ar ôl, dwy'n credu. Dy'n ni ddim yn perthyn yma, mwy.'

Amneidiodd Mathew ei ben.

'Rwyt ti'n iawn, mae arna i ofn.' Llais Dafydd, o gyfeiriad y drws. Trodd y ddau i'w wynebu. Roedd golwg flinedig arno ar ôl ei daith yn ôl drwy'r tywyllwch.

'Dafydd!' cyfarchodd Non ef yn wresog. 'Sut doist ti'n ôl mor fuan?'

'Rwy wedi bod yn cerdded drwy'r nos.'

'Ond mae'n rhy bell ...'

Torrodd Dafydd ar ei thraws. 'Mae'n od, ond dydy pellter ddim yn cyfri, rywsut. Roedd meddwl bod yma gyda'r wawr yn ddigon.'

'Rwyf innau wedi cael yr un math o brofiad,' cytunodd hi'n dawel.

Ni wadodd Mathew hyn. 'Sut hwyl gest ti?' gofynnodd.

'Mi ddysgais i bethau rhyfeddol,' meddai Dafydd, 'a dwy'n dallt rhywfaint am ein sefyllfa, rŵan. Efallai y dylwn i deimlo'n well ond y ffaith ydy fod yr wybodaeth wedi fy ngwneud i'n fwy trist byth.'

'Finnau hefyd,' meddai Non. 'Ond dwed ti gynta, Dafydd.'

'Dwy wedi gweld fy wyres a 'ngorwyres. Maen nhw'n byw yn fy hen gartre,' meddai Dafydd yn gryno.

Edrychasant arno'n syn.

'Roedd Lisa'n disgwyl plentyn pan gychwynnon ni, er na wyddwn i ddim ar y pryd.'

Bu saib eto.

'Pam na wnaethon nhw roi gwybod i mi?' gofynnodd yn orffwyll. 'Roedden ni mewn cysylltiad â'r orsaf yn ystod y blynyddoedd cynnar.'

'Efallai bod Lisa'n meddwl taw doethach fyddai peidio, rhag ofn codi hiraeth arnat ti,' meddai Non yn ystyriol. 'Cod dy galon, Dafydd. Mae'n newydd da, wedi'r cwbl.'

'Gest ti newydd am dy gartre di?' gofynnodd Dafydd iddi.

'Mae 'nghartre i'n furddun, bellach,' meddai Non. Roedd ei llais yn crynu.

Estynnodd Dafydd ei law ati i fynegi ei gydymdeimlad ac edrychodd Mathew i fyny'n sydyn. Roedd golwg drist yn ei lygaid.

'Efallai fod hynny'n llai creulon yn y pen draw,' meddai.

'Beth wyt ti'n feddwl?' meddai Dafydd.

'Fe fues i'n meddwl am yr hen ŵr a redodd bant ar y rhostir,' meddai. 'Roedd yn fy 'nabod ac roedd ei wyneb yn gyfarwydd i minnau, hefyd. Fy nai Jonathan oedd e. Dyna beth ro'n i'n bwriadu'i ddweud wrthot ti yn nes ymlaen, Non.'

Edrychodd y ddau arall arno'n ddwys heb ddweud dim. Am ryw reswm, nid oeddynt yn

127

synnu at y newydd. Roedd fel petai'r cyfarfod wedi'i lunio gan ffawd, yn anorfod. Ac roedd y cyfarfod yn ystyrlon mewn modd na allent ei ddirnad tan y funud hon. Roedd geiriau nesaf Mathew yn cadarnhau'r syniad oedd yn crisialu yn eu meddyliau.

'Rwy'n credu'n bod ni wedi dychwelyd i'r pentre lle'r arferwn ymweld â fy chwaer, lle cafodd Jonathan ei fagu, a lle mae e'n dal i fyw hyd heddi.'

'Ond nid Llansaint oedd enw'r pentre?' meddai Dafydd.

'Mae'r enw wedi newid, yn ogystal â phopeth arall ond mae hynny'n bosib hefyd os yw tri chwarter canrif a mwy wedi mynd heibio.'

'Nid hap a damwain yw ein bod ni wedi glanio yn y fan hon, felly.' Roedd Non yn meddwl yn uchel.

'Fe yw'r unig ddolen gyswllt rhyngon ni a'r gorffennol,' meddai Mathew. 'Mae'n rhyfeddol, on'd yw e? Fy nai bach yn hen ŵr.'

'Rhaid cysylltu ag o,' meddai Dafydd. 'Dyna'r unig ffordd i ddatrys y broblem.'

'Rwy'n hiraethu am gysylltu ag e,' meddai Mathew. 'Ond sut? Mae'n gorwedd yn wael ddifrifol yn rhywle ar hyn o bryd. Yn ei gartre? Mewn ysbyty?'

'Rywsut neu'i gilydd, dwy ddim yn gweld ysbyty yn rhan o amodau byw y bobl hyn,' meddai Dafydd.

'Mae'r gymdeithas wedi mynd yn ôl at hen arferion a hen ffordd o fyw,' cytunodd Non. 'Does dim cynnydd wedi digwydd er gwaetha holl gynnydd ein hoes ni a'r oes o'n blaen.'

'Maen nhw wedi troi eu cefnau ar wyddon-iaeth a thechnoleg,' meddai Dafydd. 'Mae'n bechod i rywun hyd yn oed sôn amdanynt.'

'Ond pam? Dyna'r cwestiwn,' meddai Mathew mewn penbleth.

'Am eu bod yn gyfrifol am gyfres o drych-inebau tra oeddan ni i ffwrdd a bu bron i'r byd ddod i ben,' atebodd Dafydd. 'Mae poblogaeth y byd wedi'i degymu. Mae'n gwlad ni fel encil bach lle mae'r rhai sy'n weddill yn cynnal rhyw fath o fywyd o hyd. Ond heb chwilfrydedd o gwbl am beth sy'n mynd ymlaen y tu allan.'

Aeth Dafydd ymlaen i ddisgrifio ei gyfarfod â'r hen ffermwr a'i daith i'r pentref rhyfedd. Pan gyfeiriodd at y Gwarchodwyr, roedd yn rhaid egluro i Mathew taw nhw oedd mewn awdurdod yn y system wleidyddol ac yn gwneud y deddfau, i bob golwg. Torrodd Non ar ei draws i ddweud ei bod hi wedi gweld dau ohonynt yn yr Ŵyl, a sut y buont yn ei herlid ymysg adfeilion ei chartref.

'Mae pob dim a welais yn ategu dy brofiadau di, Dafydd,' meddai. 'Mae'r bobl wedi ymroi i ofergoeliaeth ac ofn unwaith eto. Maen nhw dan fawd y Gwarchodwyr.'

Ailadroddodd Mathew ei helyntion yn ystod y nos pan gafodd yntau ei erlid gan y pentrefwyr.

'Ydy'n bosib ein bod ni'n breuddwydio hyn oll?' gofynnodd Non yn sydyn ac o ddifrif.

'Os felly, ry'n ni i gyd yn cael yr un freuddwyd,' meddai Mathew yn gellweirus. Roedd yn rhyddhad siarad ag ychydig o ysgafnder eto. 'Neu ry'ch chi'ch dau yn rhan o'm breuddwyd i, fel rwy'n rhan o'ch breuddwydion chi.'

'Pwy a ŵyr beth sy'n freuddwyd a beth sydd ddim?' meddai Dafydd. 'Sut y gwyddon ni pryd ydan ni'n breuddwydio? Dim ond wrth ddeffro rydan ni'n sylweddoli.'

'Efallai taw'r stad effro yw'r un ffug, a'r stad o freuddwydion yw'r un real,' ychwanegodd Mathew yn ddireidus.

'Ond mae rhywun yn gwybod nad yw hynny'n wir,' meddai Non.

'Pa dystiolaeth sy gen ti?' gofynnodd Mathew.

'Beth bynnag sy'n wir, mae awyrgylch afreal iawn i'r byd rydan ni wedi dychwelyd iddo,' meddai Dafydd.

'Efallai taw ni sy'n afreal. Hwyrach nad y'n ni ddim yn bodoli o gwbl yn gorfforol, beth bynnag,' meddai Non yn araf. Ni fentrai ddweud mwy na hynny.

Bu saib tra oedd y tri'n myfyrio am hyn ac yna torrodd Mathew ar draws y distawrwydd.

'Rwy newydd feddwl am ffordd i gael mwy o wybodaeth am y pentre ac am Jonathan,' meddai. 'Roedd eglwys fach y plwy yn sefyll tua milltir i ffwrdd o'r pentre, ar lan y môr

131

erstalwm. Siawns na fydd cofnodion y pentre a'i phobl yn cael eu cadw ynddi. Hynny yw, os yw hi'n dal i sefyll yno.'

'Syniad da,' meddai Dafydd. 'Beth am fynd yno hefo'n gilydd?'

\*       \*       \*

Cychwynasant am yr eglwys tua diwedd y prynhawn ar ôl bwrw blinder y diwrnod a'r noson cynt. Penderfynasant gerdded ar hyd y traeth yn lle cymryd y ffordd ar hyd yr arfordir. Ymestynnai'r tywod o'u blaen, yn stribed gwastad a di-fefl rhwng y creigiau ac ewyn gwyn y tonnau.

Ar ôl cerdded am sbel, cyraeddasant y fan lle'r oedd y creigiau'n disgyn i gyfarfod â'r môr. Roedd ceudod ynddynt fel bwa a ffurfiai fynedfa i'r bae nesaf. Yn awr, roedd to'r eglwys a'i chloch fach yn y golwg, yr ochr draw i'r bae.

'Dyna hi, fel ro'n i'n tybio,' meddai Mathew.

Prysurodd y tri nes dod i fwlch yn y creigiau. Arweiniai llwybr o'r fan hon at yr eglwys. Safai mewn pant bach tawel rhwng y lôn uwchben a'r twyni tywod. Tyfai glaswellt hir a gwyllt o'i hamgylch a siglai blodau mân, bregus yn yr awel oedd wedi codi gyda'r machlud. Roedd yn hwb i galon y tri weld yr eglwys fach hirsgwar yn gyfan o hyd a'i cherrig llwyd, cymen yn gwneud amlinelliad perffaith yn erbyn yr wybren.

Fel yr oeddynt ar fin agor y drws mawr derw, sylwodd Mathew ar un o'r cerrig beddau ar bwys y fynedfa. Arhosodd i'w darllen a gwelodd y lleill y boen yn ei wyneb.

' ''Er cof am Siân Price Jones a hunodd Tachwedd 1, yn y flwyddyn 2062, yn 67 oed''. Mae'r cyfan yn wir, felly,' meddai'n gryg. 'Dyma fedd fy chwaer. Ro'n i'n gwybod, wrth gwrs. Ond mae gweld y bedd yn . . .' Ni allai orffen y frawddeg.

Oedodd y tri am rai munudau, gan aros gyda Mathew i ddarllen y geiriau trist a gerfiwyd ar y garreg. Yna, aethant i mewn i'r eglwys. O leiaf, nid oedd dim byd wedi newid yn y fan hon. Gwelent yr hyn y disgwylient ei weld. Roedd yr olwg y tu mewn i'r adeilad wedi aros yr un fath ag erioed: y meinciau pren; aroglau'r blodau oedd yn gwywo ar yr allor; y ffenestri bach lliw;

y pentwr bach taclus o lyfrau emynau yn y cefn—roeddynt i gyd yno.

Aeth Mathew i archwilio casgliad o hen lyfrau mewn câs a safai mewn cornel dywyll. Tynnodd un neu ddau allan a'u gosod ar y ford lle cedwid y llyfrau emynau. Efallai y byddai'r wybodaeth yr oedd yn chwilio amdani yn un o'r cyfrolau hyn. Siffrydai'r tudalennau wrth iddo'u troi. Ni fu fawr o dro cyn dod o hyd i'r hyn yr oedd arno'i eisiau.

'Edrychwch!' meddai. 'Mae'r paragraff yma'n cyfeirio at newid enw'r pentre. Ro'n i'n iawn. ''Llannerch'' oedd ei enw. Daeth yn ''Llansaint'' tua hanner can mlynedd yn ôl. 'Sgwn i beth oedd y rheswm am hynny?'

'Am eu bod nhw wedi mynd yn fwy crefyddol yr amser hynny, hwyrach. Crefyddol yn eu golwg nhw, beth bynnag,' meddai Dafydd.

'Cofiwch hefyd fod yr Ŵyl Geltaidd yn cael ei chynnal yn yr ardal ar Ddydd Calan Gaeaf,' meddai Non. 'Diwrnod yr holl saint.'

'Dyna'r rheswm, siŵr o fod,' meddai Mathew. 'Ac edrychwch ar y rhan hon!' Roedd wedi troi rhai tudalennau eraill. 'Mae rhestr yma o deuluoedd y plwy.'

Roedd enw Jonathan yno a chofnod o'i briodas â Marian. Roedd ei gyfeiriad wedi'i ysgrifennu hefyd. Cyfeiriad syml, sef enw'r bwthyn . . .

'Gwylfa!' meddai Mathew. 'Dyna enw bwthyn fy chwaer. Ac yn awr, Jonathan biau'r lle!'

'Paid â disgwyl gormod, Mathew, rhag iti gael dy siomi,' meddai Non yn garedig. Bu ennyd o ddistawrwydd ac yna fel pe i'w gysuro, estynnodd lyfr emynau iddynt bob un, ac agor ei chopi hi. Roedd y dalennau wedi treulio a'u plygu ar yr ymylon. Roeddynt yn amlwg wedi cael eu byseddu a'u defnyddio am amser maith. Dilynodd y lleill ei hesiampl a dechrau canu rhai o'r hen emynau oedd yn hoff ganddynt. Symudasant at yr organ. Roedd Dafydd wedi dechrau cyfeilio iddynt gyda mwynhad arbennig.

\*       \*       \*

Doedd Mrs Isaac ddim yn wraig fwy ofergoelus na'r cyffredin ond doedd mynd i'r eglwys gyda'r hwyr, heibio i'r cerrig beddau llonydd,

135

bygythiol ddim yn rhywbeth y byddai'n edrych ymlaen ato. Ond dyna fe, roedd yn rhaid gosod y blodau a dyma'r unig gyfle a gâi yn ystod yr wythnos. Yn ôl ei harfer, cariai lestr llawn blodau ffres, yn barod i'w roi yn lle'r hen un, i arbed unrhyw oedi yn yr eglwys dywyll, wag. Roedd awyrgylch y lle yn ddwysach heno, rywsut. Bron nad oedd hi'n ymwybodol o bresenoldeb annaearol. Pan glywodd nodau soniarus, llawn yr organ bu bron i'w chalon rewi yn ei brest. Roedd chwant rhedeg yn ôl at y llidiart arni, nerth ei thraed, ond roedd ei choesau'n methu symud. Daeth ati ei hun yn raddol. Roedd hi mewn cyfyng-gyngor yn awr. Beth ddylai hi ei wneud? Mynd ymlaen i weld pwy oedd wedi cymryd yr hyfdra i agor yr organ a'i chanu mewn modd mor gyfareddol? Neu redeg i mofyn y ficer? O'r diwedd, daeth ati ei hun. 'Twt lol!' meddai wrthi ei hun wrth agor cil y drws yn araf, gyda bysedd crynedig.

Wrth sbecian i mewn, bu bron iddi gael ffit farwol. Clywodd gôr yn canu ond doedd dim golwg o'r cantorion yn unman! Llenwid y lle â sain-nodau isel, cynhyrfus yr organ, llais dau

136

ddyn ac uwch popeth llais clir, treiddgar merch. Wrth graffu'n fwy i'r gwyll, gwelodd rywbeth oedd yn codi arswyd arni: roedd nodau'r offeryn yn symud i fyny ac i lawr er nad oedd neb yn cyffwrdd â nhw! Gollyngodd y llestr gwydr oedd yn ei dwylo a thorrodd yn deilchion ar y llawr cerrig. Atseiniodd y glec drwy'r adeilad. Daliodd Mrs Isaac ei gwynt. Roedd y sawl oedd yn canu yn gallu clywed hefyd gan fod sŵn yr organ yn dod i ben yn lleddf, ar ganol llinell.

'Pwy sy 'na?' sgrechiodd Mrs Isaac. Ni wyddai hyd ei bedd lle cafodd y nerth i herio'r foment honno . . .

Yr unig ateb oedd sŵn siffrwd fel adar yn chwifio eu hadenydd ar ôl cael eu rhusio. Yna, daeth sŵn rhydlyd o ddrws y cefn a llafn o oleuni wrth i rywun ei wthio'n agored.

*      *      *

Gwahenid y ficerdy a'r eglwys gan wal uchel a mieri'n tyfu drosti fel nad oedd modd ei weld o'r eglwys. Ar garreg drws y tŷ hwn y safai Mrs Isaac yn awr. Edrychai'r ficer yn syn arni.

'Fe ddois i yma cyn gynted ag y gallwn i, ficer,' meddai hi, a'i gwynt yn ei dwrn. 'Mae
137

pethau mawr wedi bod yn digwydd yn yr eglwys, pethau enbyd, a dweud y gwir!'

'Tewch â dweud, Mrs Isaac!' meddai'r ficer. Edrychodd ar ei gwedd denau, welw. 'Dewch i mewn i ddweud yr hanes.'

Dyn musgrell, aflêr yr olwg oedd y ficer. Gwisgai fantell laes, lwyd tywyll a fu unwaith yn ddu. Roedd y pwythau yn y llewys yn dangos olion trwsio. Roedd ei lygaid mawr du yn ymddangos fel petaent wedi'u rhwbio â huddygl ond roedd ofn wedi rhoi fflach o wyn ynddynt yn awr.

Camodd y wraig dros y matiau brwyn i oleuni pŵl y parlwr.

'Eisteddwch.' Gwahoddodd y ficer hi i eistedd ar y setl yn ymyl y lle tân mawr.

Crogai tecell du dros y pwt o dân ac roedd gweddillion pryd ar yr aelwyd. Lapiodd y wraig ei dillad yn dynnach amdani, ond roedd hi'n dal i grynu. Roedd yn amser cynnau canhwyllau ac roedd siâp tywyll y dodrefn trwm yn edrych yn fygythiol ar ôl ei phrofiad brawychus.

'Beth sy'n bod?' gofynnodd y ficer.

'Newydd ddod o'r eglwys rwyf i, syr,'

meddai. 'Es i i roi blodau ffres yno, ac o, roedd e'n enbyd!' Dechreuodd wylo i'w hances.

Symudodd y ficer ychydig yn ei gadair gan duchan yn dawel.

'P'run bynnag,' aeth yn ei blaen, wrth weld yr olwg ddiamynedd ar ei wyneb. 'Wrth imi fynd lan y llwybr at y drws, clywais rywun yn canu'r organ. Dwy 'rioed wedi clywed neb yn ei chanu fel'na. Roedd yn . . . arallfydol. A phan es i mewn roedd sŵn canu hefyd, ond doedd neb yno! Ar fy llw, ficer, roedd yr holl beth yn peri i wallt 'y mhen godi.'

'Efallai bod esboniad rhesymegol,' meddai'r ficer yn bwyllog.

'Ond yn fwy na 'ny, roedd y llyfrau ar draws y lle!'

'Beth y'ch chi'n feddwl, Mrs Isaac?'

'Roedd rhywun wedi tynnu tri llyfr emynau o'r pentwr a'u gadael ar agor ar sedd yr organ. Ac wedi estyn y llyfrau mawr hanes yna hefyd, a'r gofrestr o'r câs, a'u gadael ar y ford.'

Ni wyddai'r ficer beth i'w ddweud na sut i ymateb. Roedd y werin bobl yn tueddu i fod yn rhy barod i gredu pethau weithiau ond ar y llaw

139

arall, gallai fod yna rywfaint o wir yn y stori hon. Roedd pethau eraill rhyfedd wedi cael eu hadrodd wrtho yn y pentref yn ddiweddar.

'Os nad oes difrod, fe all fod rhywun hollol ddiniwed, rhyw ymwelydd o'r Ŵyl, hwyrach, wedi ymweld â'r lle o ran chwilfrydedd a chithau heb sylwi arno.'

'Ond syr, doedd dim posib i neb ddiflannu mor gyflym â hynna. Fe glywais i ddrws y cefn yn gwichian ond pan es i i weld, doedd neb yno, neb o gig a gwaed. Mae'n hala ofn arna i, ficer. Dyna'r ail beth rhyfedd i ddigwydd inni o fewn deuddydd.'

'Yr ail?'

'Fe gofiwch i Helen y ferch gael profiad cas pan oedd hi'n marchogaeth ar y traeth.'

'Wrth gwrs.' Cofiodd y ficer yn awr fod Helen yn ferch i'r wraig hon. Dechreuodd ganolbwyntio ar fflamau isel y tân, wedi ymgolli'n llwyr yn ei feddyliau ei hun. Clywsai fod Jac y tafarnwr wedi ymddwyn mewn modd od y noson o'r blaen. Gorweddai'r hen ŵr Jonathan ar ei wely angau ar hyn o bryd, wedi parablu rhywbeth am weledigaeth cyn suddo i drwmgwsg. Yna, roedd y ferch Helen wedi adrodd bod gwrthrych estron yn sefyll ar y traeth. Roedd Elspeth yn honni bod presenoldeb tebyg yn ei siop. Ac yn awr, hyn yn yr eglwys! Roedd yn hen bryd gwneud rhyw-beth yn ei gylch neu fe fyddai'r pentrefwyr yn dechrau colli eu pwyll!

Meddyliodd Mrs Isaac fod y ficer wedi anghofio amdani, ond cododd ei ben yn sydyn.

'Peidiwch â gofidio, Mrs Isaac. Fe ddof i lan i'r pentre gyda chi ac fe drefna i gyfarfod brys i'r holl bobl.'

'O, diolch, ficer,' meddai Mrs Isaac. Lledodd gwên o ryddhad dros ei hwyneb ac edrychai'n ieuengach o dipyn na phan ddaeth i mewn.

*     *     *

Edrychodd Mathew o gwmpas yr ystafell. Roedd cerrig llwyd, anwastad y waliau yn bochio allan, yma a thraw, gan greu corneli a llecynnau tywyll. Roedd twll y corn simdde'n enfawr a'r tân coed islaw yn taflu goleuni coch mewn cylch bach. Llosgai dwy gannwyll yn simsan ar y ford o dan y ffenestr fach sgwâr. Roedd rhes o risiau'n arwain i'r llofft yn un pen

141

i'r ystafell, fel yn yr hen ddyddiau. Roedd popeth arall wedi newid yma, a hen gelfi wedi cymryd lle'r holl foethusrwydd a berthynai i'r bwthyn pan oedd yn gartref i'w chwaer. Roedd y gwely pren isel wedi ei osod yn erbyn y wal fewnol ac roedd gwrthban brown golau yn symud i fyny ac i lawr wrth i'r hen ŵr anadlu'n llafurus odano. Safai Mathew yn ei ymyl ar y mat croen dafad a orchuddiai'r llawr caled wrth y gwely. Edrychai ar ei wyneb am arwydd ei fod yn mynd i ddeffro cyn i'w wraig ddychwelyd o'r gegin.

Manteisiai hi ar y cyfle gyda'r hwyr i wneud bara tra oedd Jonathan yn cysgu'n dawel. Rhaid i rywun gynnal rhyw fath o fywyd a gwneud tamaid i'w fwyta, er mor wael oedd Jonathan druan. Go brin y byddai ef yn gallu rhoi bara yn ei geg â'i law ei hun eto, hyd yn oed petai'n dod dros yr ergyd. Roedd yr hen gi bach fel petai'n synhwyro hyn, yn enwedig heno. Ni fynnai aros yn y parlwr gyda Jonathan heno er y byddai'n arfer gwneud hynny bob nos. Aeth i swatio yn ei gwt gan wneud sŵn crio drwy'r amser. Cronnodd deigryn yn llygad Marian. Roedd Jonathan yn ŵr da. Roedd yn wahanol, rywsut, i'r bobl o'i gwmpas. Os oedd ganddo fai, hiraethu am ffyrdd y gorffennol oedd hynny, pan oedd pobl yn rhoi mwy o werth ar wybodaeth nag ar ddim byd arall. Gwnâi hyn iddo deimlo'n anhapus, heb reswm. Roeddynt yn well eu byd yn awr, gyda'r Gwarchodwyr i ofalu am bopeth.

*      *      *

Agorodd Jonathan ei lygaid ac edrych yn syth i wyneb Mathew.

'Fe ddaethoch, Ewyrth,' murmurodd.

'Rwyt ti'n fy 'nabod, felly.' Gwenodd Mathew.

'Rwy i wedi meddwl amdanoch mor aml ar hyd y blynyddoedd. Petaech chi ond yn gwybod cymaint yr wyf wedi ewyllysio ichi ddod yn ôl, yn enwedig wrth imi fynd yn hŷn!'

'Rwy'n credu 'mod i'n gwybod nawr. Ti sydd wedi'n llywio ni'n ôl mewn ffordd nag wy'n 'i deall eto.'

'Mae'n ddrwg gen i 'mod i wedi dychryn a rhedeg i ffwrdd y noson imi'ch gweld chi ar y clogwyn. Roedd eich ymddangosiad mor

143

annisgwyl, yn y diwedd. Rwyf wedi talu am fy ffolineb, fel y gwelwch.'

'Petawn i ond wedi sylweddoli ar y pryd i ble ac i ba amser yr oedden ni wedi dychwelyd . . .'

'Amser, ie, amser. Rwy'n cofio mynd i ffarwelio â chi fel petai hynny ddoe. Ac yn awr dyma fi'n hen ŵr ar fin marw a chithau'n ifanc o hyd. Mae pethau erchyll wedi digwydd yn y byd ers hynny.'

'Clywais rywbeth am y . . . Trychinebau.'

'Trychinebau o law dyn a natur fel ei gilydd.'

'Ond sut gallsai pethau ddirywio mewn amser mor fyr ag oes dyn?'

'Sut gallsai pethau gynyddu o fewn yr un terfynau amser yn ystod y ganrif flaenorol?'

Synnodd Mathew at rym ei ddadl.

Aeth Jonathan ymlaen. 'Mae dyn wedi symud o longau hwylio i longau gofod o fewn un ganrif ac yn ôl o fewn y ganrif nesaf. Hawdd colli popeth.'

'Ac mae technoleg yn cael y bai?'

'Camddefnyddio technoleg yn lle ei defnyddio'n iawn oedd y rheswm, wrth gwrs.

Ond dyw pobl yr oes hon ddim yn gweld hynny.'

'Dwyt ti erioed wedi dygymod â'r bywyd syml, Jonathan?'

'Yn ei sgil daeth pobl i gasáu gwybodaeth, Ewyrth. Dyna'r drwg.'

'Ydy hyn yn wir ledled y byd?'

'Ychydig iawn a wyddon ni'r werin am weddill y byd. Credaf fod y dinasoedd mawr wedi dadfeilio fel ein rhai mawr ni. Ar ôl y pla a'r rhyfeloedd, doedd dim o'u hangen. Y Gwarchodwyr yw'r unig rai sydd yn gwybod beth sy'n digwydd yn y byd, ac yn cadw cyfrinachau technoleg.'

'Nhw yw'r Llywodraeth?'

'Ie, nhw yw ein meistri,' atebodd Jonathan yn lluddedig. 'Fel y derwyddon erstalwm,' ychwanegodd, gyda gwên gam.

'Os ydyn nhw'n mygu gwybodaeth, beth am addysg? Beth sydd wedi digwydd i'n Prif-ysgol?' gofynnodd Mathew.

'Mae un coleg wedi'i droi'n ganolfan weinyddol i'r Gwarchodwyr a'r llall yn ganolfan addysg i rai dethol a fydd yn do arall o Warchodwyr.'

'Ond beth am y colegau eraill?' gofynnodd Mathew. Roedd anobaith yn ei lais.

'Wedi dadfeilio. Mae'r cerrig yn cael eu defnyddio i godi mur o gwmpas y wlad. Ffordd y Gwarchodwyr o gadw'r bobl mewn gwaith ac yn ddifyr. Mae'n gwneud iddynt deimlo'n ddiogel hefyd.'

Llethwyd Mathew gan dristwch. Ni allai atal ochenaid.

'Ond mae rhywbeth y gallwch ei wneud, Ewyrth,' meddai Jonathan gydag anhawster. 'Rhywbeth i gadw'r ffydd, fel petai.'

Symudodd Mathew gam yn nes er mwyn clywed y neges.

'Beth, Jonathan?' anogodd.

'Rai blynyddoedd yn ôl,' meddai Jonathan, 'bu rhaid inni roi ein holl lyfrau i'r Gwarchodwyr. Roedd papur yn brin, welwch chi, ac roedd arnynt angen ailgylchu papur i'w pwrpas eu hunain. Dyna'r esgus beth bynnag.'

Bu saib, tra casglai Jonathan nerth i fynd ymlaen. Ni feiddiai Mathew symud modfedd rhag ofn na fyddai'r hen ŵr yn gorffen ei stori.

'Cedwais gyfres o wyddoniaduron a'u cuddio nhw yn y creigiau ar lan y môr. Fe ddweda i wrthych chi ble'n union maen nhw.'

'Beth wyt ti am imi'i wneud â nhw?'

'Gofalu bod fy ŵyr, Seimon, yn eu cael. Mae'n fachgen da ac mae e wedi cyrraedd oed deall y pethau hyn, nawr. Rwy wedi bod ofn marw cyn cael y cyfle i ddweud wrtho fe.'

'Disgrifia'r guddfan imi, Jonathan,' meddai Mathew yn daer. Edrychai o'i gwmpas yn nerfus rhag ofn i Marian ddod.

'Y bwa,' meddai Jonathan yn ddistaw. 'Chwiliwch am y bwa.' Caeodd ei lygaid ac aeth yn anymwybodol eto. Arhosodd Mathew yn ymyl y gwely am ryw hyd gan obeithio y byddai'r hen ŵr yn deffro unwaith eto iddo allu ei holi ynglŷn â'r bachgen. Ond roedd yn rhy hwyr. Tra oedd yn sefyll yno'n bendrist sylwodd drwy gil ei lygad fod rhywun yn dod i mewn i'r parlwr. Daeth gwraig Jonathan i'r golwg a llanc ar ei hôl. Ciliodd Mathew at y grisiau a'u hesgyn fel nad oedd yn bosibl i neb ei weld. Rhyfeddai pa mor agos y daeth at gael ei ddal.

'Diolch am ddod yn ôl gyda mi ar unwaith, 'machgen i,' meddai'r wraig. 'Roedd e'n dechrau mwmial siarad, ac fe ddwedodd dy enw. Mae arna i ofn ei fod yn drysu. Fydd e ddim gyda ni'n hir nawr.' Sychodd ei dagrau yn ei ffedog.

'Oedd e'n effro?' gofynnodd y bachgen.

'Alla i ddim dweud. Wnes i ddim oedi, dim ond bwrw golwg sydyn arno o'r gegin.'

Roedd hi wedi edrych i mewn i'r ystafell, meddyliodd Mathew, ond heb sylwi arno!

'Arhosa i gyda chi heno, Mam-gu,' meddai Seimon, a rhoi ei fraich o'i hamgylch i'w chysuro. Estynnodd ddwy gadair yn nes at y tân fel y gallent eistedd gyda'i gilydd. Roedd hi'n mynd i fod yn noswyl hir iawn.

Roedd Mathew ar fin mentro i lawr a sleifio allan pan ddaeth cnoc ar y drws. Y ficer oedd yn sefyll ar y trothwy.

'Sut mae e erbyn hyn, Marian?' gofynnodd yn brudd.

'O ficer, dewch i mewn. Mae'n colli'r frwydr yn gyflym iawn, mae arna i ofn.'

'Mae wedi bod yn ymladd yn ddewr iawn,' meddai'r ficer. Aeth i sefyll uwchben Jonathan.

'Lwcus eich bod chi wedi galw nawr, ficer,' meddai Marian. 'Mae rhywbeth newydd ei gynhyrfu'n fawr a gwneud iddo siarad ag e'i hunan. Breuddwyd cas, mae'n debyg.'

Daeth golwg gythryblus i lygaid y ficer. 'Oes rhywbeth rhyfedd wedi digwydd yma, o gwbl?' gofynnodd.

'Beth y'ch chi'n feddwl, ficer?'

'Roedd e'n siarad ag e'i hunan, meddech chi. Oedd e'n meddwl ei fod yn gweld rhywun·'to, tybed? Fel y noson o'r blaen pan drawyd ef yn wael?'

'Fe dybiais ei fod yn drysu yn ei wendid. Dyna i gyd.'

'Glywsoch chi beth ddwedodd e?'

'Na, roedd e'n siarad yn floesg. Ond clywais enw Seimon. Dyna pryd es i i'w nôl.'

Amneidiodd y ficer ei ben yn feddylgar.

'A' i i wneud cwpaned i chi, ficer.' Cododd hi. Roedd Seimon ar fin cynnig mynd yn ei lle

149

pan roddodd y ficer ei law ar ei fraich i fynegi ei fod yn dymuno sgwrs ag ef. Ar ôl iddi fynd o'u clyw, dechreuodd y ficer siarad yn isel.

'Mae pethau mawr wedi bod yn digwydd yn y pentre, 'machgen i, fel y gwyddost. Rwy'n amau bod a wnelon nhw â chyflwr dy dad-cu hefyd. Druan ohono!'

'Rwy i wedi clywed pobl yn sôn bod pwerau drwg ar led. Ro'n i'n un o'r rhai a aeth i ben y clogwyn y noson o'r blaen i weld y ddrychiolaeth roedd Helen wedi'i gweld. Ond doedd dim byd yno,' meddai Seimon.

'*Welwyd* dim byd,' cywirodd y ficer ef. 'Ond yng ngoleuni'r holl dystiolaeth yr wyf wedi'i derbyn, rwyf wedi trefnu gwasanaeth i fwrw ysbrydion drwg ymaith.'

Fferrodd Mathew. Ysbrydion! Dyna oedd barn y bobl leol. O'r holl siom a phoen a brofodd y tri ohonynt ers iddynt lanio, ni sylweddolodd yr un ohonynt y posibilrwydd hwn. Neu, yn hytrach, ni fynnent sylweddoli. Roedd yn echrydus! Carlamai ei feddyliau mewn cylch. Wrth gwrs, byddai'r esboniad hwn yn ateb rhai o'r posau oedd wedi peri cymaint o benbleth iddynt: pam roedd rhai pobl yn methu â'u gweld fel personau ond yn gweld effeithiau eu presenoldeb; pam roeddynt yn teimlo fel bodau ar wahân yn eu hen gynefin, yn fwy felly nag yr oedd traul y blynyddoedd yn ei esbonio; pam roedd agendor diadlam rhyngddyn nhw a'r bobl. Ac yn waeth na'r cwbl, roedd y bobl o'r farn eu bod yn ysbrydion drwg! Hyn oedd yn ei frifo fwyaf, ac yn peri iddo chwerwi. Daeth yn ymwybodol o lais y ficer eto.

'Fe fydd y gwasanaeth arbennig yn cael ei gynnal yn syth ar ôl y plygain bore 'fory.'

'Yn yr eglwys, syr?' gofynnodd Seimon.

'Nage. Tybiais taw doethach fyddai ei gynnal ar y clogwyn yn y man lle buoch yn ymgynnull y noson o'r blaen. Beth bynnag yw'r anferthwch yma, credaf ei fod yn deillio o'r fan honno.'

'Fe ddof, os na fydd Tad-cu'n waeth,' addawodd Seimon.

Doedd dim moment i'w cholli, meddyliodd Mathew. Roedd yn rhaid rhybuddio ei gyfeill-ion, dod o hyd i'r llyfrau ac arwain y gŵr ifanc atynt, a hyn i gyd cyn toriad y wawr. Ar y cyfle cyntaf, llithrodd i lawr y grisiau ac ar draws y parlwr yn ddistaw, ddistaw. Agorodd y drws yn araf rhag iddo wneud sŵn gwichian ac ymadawodd, gan adael chwa o wynt iasol i mewn ar yr un pryd.

Ymestynnai'r ffordd dros y rhostir at ben y clogwyn yn unig ac yn wag yn nhywyllwch y nos. Baglai Mathew dros frigau'r creigiau a brwydrodd drwy'r tyfiant yn ddiymwared er bod ei gymalau'n crynu gan ofn.

Roedd y ddau arall yn disgwyl am ddychweliad
Mathew i'r llong ofod. Gwyddent taw
Jonathan oedd yr unig ddolen gyswllt
rhyngddyn nhw a'r byd ar ei newydd wedd a
gwyddent hefyd fod y cyfarfod rhyngddo ef a
Mathew yn mynd i fod yn un allweddol i gael
gafael ar ben-llinyn yr holl ddryswch. Roedd eu
llygaid yn glir a di-syfl yn awr, wrth iddynt
edrych arno'n croesi'r trothwy. Roedd golwg
brudd ar ei wyneb.

'Welaist ti Jonathan?' mentrodd Non ofyn.

'Do, fe welais Jonathan,' ochneidiodd
Mathew, 'ond mae gen i newydd enbyd.'

'Mae wedi marw,' casglodd Non yn dawel.

'Roedd Jonathan yn fyw pan adewais y tŷ,
ychydig amser yn ôl. Ni sydd wedi marw,
Non.'

'Beth wyt ti'n feddwl?' Roedd arswyd yn
llygaid Non a Dafydd.

'Ydych chi'n cofio'r sgwrs a gawson ni am
freuddwydio?' dechreuodd Mathew. 'Wel,

roedd yn agos iawn at y gwir. Dy'n ni'n ddim mwy nag ysbrydion disylwedd. Dyna yw casgliad y bobl yma, ac mae'n cyd-fynd â'r ffeithiau.'

Edrychodd y ddau arall arno'n syfrdan. Ni fynnent gredu hyn, ac eto, roeddynt yn adnabod y caswir wrth i Mathew ei gyflwyno iddynt fel hyn.

'Buon ni farw'n ôl yn y gofod, yn nhrobwll y seren ddu,' meddai Non yn fyfyriol.

'A'r camgymeriad a wnaethon ni oedd meddwl ein bod ni wedi dianc trwy dwnnel yn y gofod yn ôl i'r ddaear,' meddai Mathew.

'Dyw'r profiadau hyn oll ar y ddaear yn ddim ond math o sythwelediad yn ystod y momentau olaf,' meddai Dafydd.

'Fel gweld adlewyrchiad ohonom ein hunain mewn drych a llawer o bethau'n mynd ymlaen yn y cefndir,' cytunodd Mathew.

'Y momentau olaf!' Adleisiai Non eiriau Dafydd. 'Ond does dim ystyr i amser yn y gofod. Gall hyn barhau am byth!'

'Melltigedig ydan ni,' meddai Dafydd.

'Wedi'n dedfrydu i hofran ar ymylon bodolaeth am byth.'

'Sut y digwyddodd hyn inni?' gofynnodd Non.

'Jonathan sydd wedi'n tynnu ni'n ôl, trwy ryw fath o delepathi,' meddai Mathew. 'Roedd hiraeth arno am yr hen ddyddiau, pan oedd gobaith i'r byd. Ni, a'r fenter i'r gofod oedd yn cynrychioli hynny iddo. Mae gen i dasg i'w gwneud drosto, ac mae'n rhaid imi'i gwneud hi ar unwaith, cyn iddi fod yn rhy hwyr.'

'Rhy hwyr?' meddai Non.

'Mae'r ficer wedi trefnu seremoni bwrw ysbrydion ymaith ar ôl y plygain yfory.'

'Os digwyddith hynny,' meddai Dafydd yn iasol, 'alltudion fyddwn ni, wedi'n condemnio i grwydro drwy'r holl fydysawd eang. Yn ddiddiwedd!'

Roeddynt yn dawel iawn am ennyd. O'r diwedd, rhoddodd Non ddiweddglo i'r sgwrs.

'Alla i ddim credu y byddwn ni mor anffodus â hynny. Mae pen draw i bopeth.'

\* \* \*

Roedd popeth wedi'i arwisgo ag arlliw o lwyd gan y lleuad lastwraidd. Roedd eu hamser yn prinhau. Trafaeliai'r oriau byrion ar draws yr wybren gyda'r cymylau.

'Wyt ti'n siŵr mai hwn oedd y lle y soniai amdano?' gofynnodd Dafydd. 'Mae'n dasg anobeithiol, hyd y gwela i.'

'Soniodd am fwa,' atebodd Mathew. 'Dyma'r unig fwa yn y creigiau.'

Safai'r tri ar y tywod gwlyb wrth y fynedfa i'r bae nesaf. Clywent y tonnau'n tasgu'n ddiflino ar y creigiau a'r holl amser yn y byd ganddynt i wneud eu gwaith o newid gwedd yr arfordir . . . Canolbwyntiai Mathew belydr y llusern yr oedd yn ei chario ar sawl rhan o'r graig yn ei thro tra craffai'r tri chyfaill am hollt a ddynodai ddarn rhydd. Estynnai'r tri eu dwylo i gyffwrdd â wyneb y graig. Archwiliasant bob crych a phant ynddi, ond yn ofer. Yna, pan oeddynt yn dechrau anobeithio, syrthiodd cerrig bach fel briwsion o'r graig yn ymyl eu traed, gan wneud sŵn fel rhywun yn clecian ei fawd i dynnu sylw. Canfu Mathew ddarn o'r graig oedd yn fwy miniog na'r gweddill, lle syrthiodd y cerrig. Pan

156

wthiwyd hon yn rhydd ymddangosodd ceudod y tu ôl iddi lle gorweddai parsel o lyfrau wedi'u lapio'n ddiddos. Llyfrau clawr coch oeddynt ac ochrau eu tudalennau wedi'u heuro, o'r math nas gwelsent ers oes.

*     *     *

Safai Mathew o dan y perthi o rosod gwyllt a blygai dros wal gardd Jonathan. Roedd diferion o law disglair wedi'u dal fel dagrau ar y rhwydwaith o ganghennau, yn hardd ac yn drist ar unwaith yn awyr ir y bore. Gobeithiai â'i holl galon y gallai gwrdd â Seimon ar ei ffordd allan o'r tŷ yn blygeiniol cyn iddo fynd i'r gwasanaeth. Bwriadai Mathew fynd ag ef dros y clogwyn i'r man lle'r oedd y llyfrau wedi eu cuddio. Dyna'r unig gynllun a'r unig obaith oedd ar ôl. Roeddynt eu tri ar fin cael eu gyrru ymaith am byth. Petai Seimon yn methu ei weld neu'n gwrthod ei ddilyn, neu'n aros yn y tŷ . . . petaent yn methu cyrraedd y fan mewn pryd cyn i'r ficer a'r bobl ddechrau'r defodau, byddai ar ben arnynt, a'u holl dreialon wedi bod yn ofer.

Fu dim rhaid iddo ddisgwyl yn hir. Clywodd rywun yn cau drws y ffrynt yn ofalus ac yn

157

cychwyn tuag at y llidiart. Seimon ydoedd. Trodd i fynd i fyny'r heol fel bod ei gefn tuag at Mathew. Dilynodd Mathew ef a rhoi ei law yn ysgafn ar ei ysgwydd. Neidiodd y bachgen mewn braw a throdd i edrych yn gegrwth ar Mathew.

'Paid â bod ofn,' meddai Mathew, gan edrych i wyneb y gŵr ifanc oedd mor debyg i'w dad-cu. Roedd ei lygaid clir, brown golau yn ddwys ac esgyrn ei ên a'i fochau'n lluniaidd. 'Dwy ddim am dy frifo di.'

'Pwy y'ch chi?' meddai Seimon yn betrusgar.

'Mathew yw f'enw i, ac mae gen i neges oddi wrth dy dad-cu.' Diolch byth ei fod yn gallu 'ngweld i, meddyliodd.

'Tad-cu?' Sythodd Seimon a thynnu anadl drwy ei ffroenau'n gyflym.

'Does dim newid yng nghyflwr dy dad-cu ers iti 'madael â'r tŷ yn awr. Dim hynny. Ry'n ni'n perthyn i'n gilydd, dy dad-cu a minnau, ac mae am imi ddatgelu rhywbeth iti, a'i roi iti.'

'Am beth y'ch chi'n sôn?'

'Dilyn fi,' meddai Mathew, gan roi arwydd iddo. 'Ymddiried yno' i.'

Teimlai Seimon yn anfoddog ond roedd tynfa'r dieithryn hwn yn anorfod, rywsut. Dechreuodd ei ddilyn er na wyddai pam. Arweiniodd Mathew ef ar hyd y llwybr a groesai'r clogwyn ac i lawr at y traeth. Trodd ei ben sawl gwaith i ofalu bod Seimon yn dal i gerdded ar ei ôl, ac i'w galonogi yn ei flaen.

'Brysia,' meddai, 'neu fe fydd yn rhy hwyr.' Roedd wedi gorchfygu bron pob rhwystr yn awr, a bron wedi cyrraedd y nod.

Roedd pileri'r bwa'n sefyll yn gefnsyth yn erbyn yr awyr a neb yn y golwg yn awr.

'Rwy'n siŵr dy fod ti'n 'nabod dy dad-cu'n ddigon da i wybod sut i drin y rhain,' meddai Mathew wrth ddatguddio'r gyfrinach a gedwid yn y creigiau. 'Mae ganddo fe ffydd ynot ti.'

Edrychodd Seimon ar y llyfrau yn syfrdan am ennyd. Yna ymddangosodd llawenydd yn ei lygaid. Estynnodd ei law i'w byseddu'n ofalus.

'Dyna beth oedd e'n gadw imi! Mae e wedi awgrymu rhywbeth o'r fath yn aml, ond erioed wedi dweud yn blaen.'

'Doedd yr amser ddim yn iawn, tan nawr.'

'Mae gen innau barch at wybodaeth. Mae'n anodd ei chael. Allwn i ddim cael anrheg well ganddo fe.'

'Fe gei di rannu'r wybodaeth sydd yn y llyfrau hyn gyda phobl eraill ryw ddydd, gobeithio, a'u hatgoffa o'r holl wybodaeth sydd i'w dysgu 'to.'

'Gellwch ddibynnu arna i,' meddai Seimon. Yna, edrychodd i fyny'n sydyn.

Symudodd Mathew ychydig o'r neilltu, yn reddfol. Ni fynnai i'r bachgen edrych arno'n unionsyth, mwyach.

'Pwy y'ch chi?' gofynnodd Seimon am yr eildro. 'O ble daethoch chi?'

'Dieithryn ydw i oedd yn 'nabod dy dad-cu flynyddoedd maith yn ôl.'

'Amser maith? Ond dyn ifanc y'ch chi.'

Gwenodd Mathew arno. 'Rwy'n hŷn na 'ngolwg.'

Edrychodd y bachgen ar y wawr yn prysur ledaenu ei golau gwelw uwch y gorwel.

'Rhaid imi fynd,' meddai, 'neu fe fyddaf yn hwyr i'r oedfa.'

'Wnei di un gymwynas â mi?' gofynnodd Mathew.

'Gwnaf, os galla i.' Roedd Seimon yn gosod y llyfrau'n ôl.

'Rho wybod i'r offeiriad nad ysbrydion drwg mohonom.'

Trodd Seimon i'w wynebu, wedi synnu. Ond roedd Mathew yn symud yn ysgafn droed ar draws y traeth fel deilen o flaen y gwynt, yn bell o glyw yn barod. Ni allai Seimon ddweud pa foment y diflannodd o'i olwg, ond welodd e mohono'n esgyn i'r llestr i ymuno â'i gymdeith-ion.

*     *     *

Ar ben y clogwyn roedd nifer o ffigurau aneglur yn ymweu trwy ei gilydd, yn bitw fel pypedau yn erbyn yr awyr. Roedd y pentrefwyr wedi ymgynnull fel ar y noson o'r blaen. Roedd y seremoni ar fin dechrau.

'Helen, tyrd i'r pen blaen, 'merch i, a chanolbwyntia ar y fan lle gwelaist ti'r ddrychiolaeth,' gorchmynnodd y ficer. Daeth mam y ferch i'w chanlyn gan ddal ei llaw.

161

'Elspeth,' galwodd y ficer, 'wyt ti yna? Mae'n bwysig i tithau ganolbwyntio dy feddwl hefyd.'

Safai Elspeth y siopwraig ar ymylon y dorf, gan grynu. Roedd pawb yn symud a siglo i gadw'n gynnes ac i waredu'r ias a'r tyndra a deimlent yn yr awyrgylch anaele.

'A phwy arall sydd wedi profi'r pethau annaearol hyn?' Roedd y ficer bron yn llafarganu erbyn hyn. 'Jac y tafarnwr, wyt ti'n bresennol?'

Atebodd Jac yn floesg o'r cefn. Roedd yn cadw cwmni i'r tri chymydog a fu yn ei dafarn ar y noson pryd y daeth yr ymwelwyr. Credai taw callach fyddai glynu at rai oedd heb weld dim byd goruwchnaturiol.

'Ni all ein brawd annwyl Jonathan fod gyda ni, wrth gwrs, gan ei fod yn dioddef effeithiau ei brofiad enbyd. Ydy ei ŵyr Seimon yn bresennol?' parhaodd y ficer.

Nid oedd ateb.

'Fe rown ni ychydig o amser iddo eto cyn inni ddechrau,' meddai'r ficer.

Roedd y tawelwch yn llethol. Edrychodd y

ficer o'i gwmpas yn anesmwyth. Roedd rhai yn y dyrfa yn debyg o lewygu os na ddeuai Seimon yn y man. Ymhen rhai munudau, a ymddangosai fel oriau, gwelwyd ffigur yn symud yn y pellter. Wrth iddo ddynesu roedd y dorf yn adnabod Seimon, ŵyr Jonathan. Anelodd ei gamre'n syth at yr offeiriad a'i alw ychydig o'r neilltu. Roedd e'n dweud rhywbeth pwysig wrtho. Gwrandawodd y ficer yn ddwys ar ei eiriau ac yna amneidiodd. Aeth Seimon i ymuno â'r dorf.

'Gyfeillion,' meddai'r ficer, 'daethom ynghyd i'n gwaredu ein hunain o afael yr ysbryd neu'r ysbrydion hyn gan feddwl taw ysbrydion drwg ydynt. Efallai wedi'r cwbl nad ydynt yn golygu dim niwed. Efallai y dylem dosturio wrthynt yn hytrach na cheisio eu herlid. Gadewch inni weddïo am dawelwch iddynt, gorffwys a chwsg parhaol, y fendith olaf a'r fwyaf.'

Daeth sŵn canu dros y clogwyn. Roedd y dyrfa'n canu emyn. Cludwyd y geiriau at y llestr gan y gwynt a deuent yn gliriach ac yn gliriach . . .

163

'Mil o flynyddoedd iti sydd
Fel doe pan ddêl i ben
Neu wyliadwriaeth cyn y dydd
A chodi haul y nen.

'Llifeiriant amser ddwg yn glau
O'i flaen holl oesoedd llawr
Yn angof ânt fel breuddwyd brau
A gilia gyda'r wawr.

O Dduw ein nerth mewn oesoedd gynt.
.................................................. ,

\*       \*       \*

Dechreuodd y llong chwyrnellu a dirgrynu fel petai ar fin torri'n deilchion. Roedd ffurfiau'r tri theithiwr yn cael eu chwalu. Disgynnodd düwch ar eu llygaid a syrthiasant i drwmgwsg. Cylch o dragwyddoldeb oedd eu crud lle nad oedd deffro mwy.